Micheline Laverdure 1990 18⁰⁰

Du coeur
de pierre
au coeur de chair

ANDRÉ DAIGNEAULT

Du coeur de pierre *au coeur de chair*

à travers les crises de la vie

Psychologie et foi

Les Éditions le Renouveau Charlesbourg Inc.

Données de catalogage avant publication (Canada)

Daigneault, André, 1938-

Du cœur de pierre au cœur de chair. À travers les crises de la vie.

(Collection Psychologie et foi).
Comprend des références bibliographiques.

ISBN 2-89254-017-8

1. Homme — Cycle vital — Aspect religieux — Église catholique. 2. Personnalité. 3. Moi (Psychologie). 4. Vie chrétienne — Enseignement biblique.
I. Titre. II. Collection.

BL53.D34 1989 155.2 C89-096355-X

Photo : Claire Dufour

André Daigneault est né à Montréal dans le quartier ouvrier de Saint-Henri. Il passe son enfance et son adolescence à Verdun et termine son secondaire à l'École Richard. Ayant une enfance assez maladive, il devient un lecteur infatigable: romans, poésie, psychologie: tout l'intéresse. Il travaille quelques années chez Seagram tout en prenant des cours à l'Université de Montréal en poésie et en littérature, participe à un groupe théâtral et publie à dix-neuf ans ses premiers poèmes.

Au début de la vingtaine, il fait une redécouverte de Dieu qui le marque profondément. C'est alors qu'il quitte Montréal pour s'engager à Québec avec un groupe de laïcs consacrés à l'apostolat populaire. Il devient le premier rédacteur en chef de la revue *Je Crois*, puis, en octobre 1964, fait partie de la première équipe du mouvement *La Rencontre*.

Durant ces années, André Daigneault donne des conférences un peu partout et rentre en contact avec les mouvements du renouveau chrétien. Il commence aussi à animer des sessions de ressourcement et des rencontres de jeunes, parcourant le Québec, l'Ontario et les États-Unis. André Daigneault est reconnu comme un orateur qui sait captiver son auditoire et comme un grand vulgarisateur.

En 1974, il publie son recueil de poèmes « *Le doux feux* ». Prenant de plus en plus conscience de son charisme pour la prédication, il se donne une formation universitaire en théologie, tout en animant des retraites et des sessions diverses. Le 10 octobre 1982, il est ordonné prêtre. En avril 1985, il publie « *Au cœur de la misère: la miséricorde* » qui deviendra un succès de librairie. « *Dans l'eau pure du cœur* » regroupe un choix de poèmes écrits entre 1955 et 1988 et le lancement de ce recueil en janvier 1989 attirera près de deux cent cinquante personnes à la Bibliothèque Gabrielle-Roy de Québec, où le comédien Denis Fortin récitera magnifiquement un choix de ses meilleurs textes.

André Daigneault est actuellement assistant-directeur de l'Institut séculier Pie-X. Il vient d'être nommé directeur de la revue *Je Crois* et continue d'animer de nombreuses sessions et retraites de tout genre. Freud disait que le poète arrive à saisir intuitivement chez les personnes ce qui lui prenait à lui plusieurs années d'analyse à comprendre. C'est avec cette force d'intuition qui le caractérise si bien qu'André Daigneault parvient dans « *Du cœur de pierre au cœur de chair* » à réaliser l'unité entre la vie et la vraie foi sur la base que l'acceptation et l'aveu de notre faiblesse et de notre vulnérabilité est la seule voie vers la guérison du cœur.

DU MÊME AUTEUR

À treize voix, Éditions Nocturnes, 1959
Poésie, revue « Mondes », 1967
Poèmes, Éditions Passe-partout, n° 7, 1971
Le doux feu, poèmes, Les Éditions le Renouveau, 1974
Au cœur de la misère: La miséricorde,
Les Éditions le Renouveau, 1985
Dans l'eau pure du cœur, Poèmes 1955-1988,
Les Éditions le Renouveau, 1989

Éditeur:
Les Éditions le Renouveau
Charlesbourg Inc.
1645, 80e Rue Est, C.P. 7605
Charlesbourg, Qué.
G1G 5W6

Dépôt légal:
4e trimestre 1989
Bibliothèque nationale du Québec
Bibliothèque nationale du Canada

Nihil obstat: Québec, 14 juin 1989
Imprimatur: Québec, 15 juin 1989

ISBN 2-89254-017-8

PRÉFACE

De se mettre à nu à s'aimer soi-même, l'auteur nous fait parcourir le long cheminement de la réalisation de soi. En passant par la prise de conscience de notre grande vulnérabilité et de nos limites, nous déboucherons sur la personne de Jésus-Christ.

Chaque personnage biblique évoqué dans cet ouvrage: Jacob; Abraham; Élie; etc., illustre comment Yahvé éduquait et enseignait le chemin de l'amour en tenant compte de notre fragilité. Le véritable retour vers le Créateur doit passer par sa miséricorde et son amour, sinon l'homme se sent perdu et se réfugie rapidement dans une fausse puissance, celle des humains. L'angoisse et la peur qui habitent l'être depuis toujours ne peuvent trouver de repos que par la prise de conscience de cet état d'être, en référence directe à celui qui nous donnera la sécurité; car le Christ est le seul à avoir vaincu la mort.

Toutes ces réflexions, nous les retrouvons à l'intérieur de ce véritable traité des fonctions du moi au service et à l'écoute du Christ. En effet, l'auteur nous fait toucher du doigt combien il est important de bien se connaître et de s'aimer, mais il nous fait surtout réaliser l'inutilité de ce processus s'il ne mène pas vers le Christ.

Au fond, la grande difficulté réside dans le comment s'assumer *pour déboucher sur la personne du Christ. Certains diront qu'il faut s'abandonner, se laisser pétrir par le maître; mais, est-ce que moi, j'ai quelque chose à faire là-dedans?*

Ce que j'ai à faire, je ne le sais trop; mais ce que je dois éviter, j'en ai une bonne idée. Est-ce là une approche négative ? C'est plutôt une approche réaliste parce que Dieu seul peut m'amener à faire le bien pendant que moi, avec l'aide de l'Esprit Saint, je corrige et transforme mon monde pulsionnel. Nos instincts, nos goûts et nos appétits ne nous seront profitables que s'ils passent par le chemin de la transformation.

En effet, le plus dommageable des comportements chez l'être humain est son désir de réaliser et d'actualiser ses pulsions sexuelles et agressives sans transformation. Tous les spécialistes qui ont étudié la structure psychique de l'être humain savent que nos pulsions sexuelles et agressives doivent être contrôlées de façon calme, rapide et automatique. Ce phénomène psychique nous conduit trop souvent à des illusions face à notre cheminement spirituel. Si l'on dit que le réel doit être vécu de façon familière, le corps doit être traité de la même façon. Il ne faut pas le placer continuellement dans des états d'excitation. En psychologie, on dit que cette façon de faire répond au principe d'homéostasie.

La difficulté d'y arriver nous amène souvent à éprouver des problèmes au niveau de notre travail, de nos activités et de nos liens avec les gens. Chaque relation semble teintée d'une couleur plutôt sombre qu'aucune lumière ne peut éclairer. Nos désirs nous aveuglent et nous empêchent d'accéder à la maturité du lien.

Certaines fausses pratiques religieuses ne sont qu'un refuge pour ne pas reconnaître le Christ; mort, oui... mais ressuscité. Souvent les gens qui les exercent parlent des avantages de leurs réussites, de leurs exploits et de leur vertu. Comme le souligne si bien l'auteur, même la direction spirituelle vient nourrir leur narcissisme.

Pourtant, aller vers le Christ, être un peuple en marche, devrait commander une transformation de notre autoérotisme en don de soi. Seul celui ou celle qui chemine vers l'autonomie et l'indépendance se place sur le chemin de Dieu. Ce chemin en est un de transformation des instincts en un agir charitable envers soi et les autres.

L'action de Dieu en nous doit obtenir notre accord pour changer et développer tout notre être. Notre liberté est sollicitée à travers les gestes conscients qu'on peut et qu'on doit poser si l'on veut bénéficier de l'action transformatrice de Jésus-Christ. Je me rends ainsi le plus disponible possible à Jésus-Christ pour pouvoir m'approcher de plus en plus de l'amour.

Ainsi, à chacun des gestes conscients qu'on peut poser, l'auteur nous fait réaliser l'influence des motivations inconscientes qui viennent changer le cours de nos programmations. De plus, il nous montre comment toute cette réalité nous fait déboucher sur le Christ. En fait, Jésus-Christ est le seul qui peut nous aider à regarder l'immontrable en nous, parce qu'il nous a enseigné comment il a réussi à assumer toutes nos vulnérabilités. Le Christ comprend notre pauvreté parce qu'il ne l'a pas voulue.

Chaque être humain doit ainsi en arriver à posséder une conscience claire des événements intérieurs et extérieurs. Il faut qu'il puisse se rendre compte, même sous l'effet d'un stress, de ce qui lui appartient et de ce qu'il devrait faire. Conséquemment, toute appréhension émotionnelle des situations personnelles internes ou externes doit se faire de façon flexible et quasi automatique. Chaque individu a également l'obligation de prévoir les conséquences de ses gestes et de les mesurer. Notre foi ne préserve personne de cette obligation et de cette grande réalité de la vie.

Un des pires réflexes que nous développons, c'est de continuellement rechercher un « feedback » extérieur pour nos réalisations internes et externes. Afin de ne pas nous placer dans des états émotionnels infantiles, ce qui risquerait, à la longue, de nous faire perdre notre stabilité, notre réalité doit être vécue de façon familière.

L'analyse décrivant la difficulté à assumer sa propre identité est d'ailleurs une des meilleures en son genre. Chaque personnage biblique analysé à travers sa vocation ou son appel ne renie pas son identité. Au contraire, on réalise jusqu'à quel point Yahvé tient compte de cette réalité. Afin d'en arriver à répondre à cet appel, il faut pouvoir différencier entre nos propres sentiments, nos motivations, et ceux des autres.

Après la lecture de ce livre, personne ne peut rester indifférent à l'héritage anxieux et dépressif, au manque de courage à bien s'évaluer. Pour contrer cette attitude, l'auteur nous propose donc de développer nos habiletés pour regarder le matériel douloureux et négatif auquel nous avons à faire face régulièrement. Ne pas vouloir reconnaître ce matériel appartient au monde de l'enfance, d'où il faut sortir un jour. Ainsi, l'autre ne sera plus le prolongement de soi-même; et notre indépendance sera notre garantie de l'amour. L'argent, les biens matériels et les honneurs ne seront plus les substituts de l'amour.

En résumé, il faut tout faire pour développer nos talents affectifs, intellectuels, sociaux et corporels; afin que le Christ puisse orienter cette démarche vers sa plus grande gloire. Ce traité de l'agir nous conduit donc au développement de soi, à l'amour de l'autre et de Dieu, en passant par les contraintes de la réalité et en empruntant la voix de l'identité. L'auteur nous montre comment bien se défendre, sans adopter certains agirs faussement vertueux. Il propose un plan de vie concret et précis nous orientant vers la personne du Christ.

Je souhaite à tous ceux qui liront ce traité de l'agir amoureux le même bonheur que j'ai eu à m'en nourrir.

André Côté,
Diplômé en psychothérapie analytique
Membre de la Société Canadienne de Psychologie

M. André Côté pratique avec un groupe de psychologues
et de psychothérapeutes au Centre de Psycho-Analyse du Québec Inc.
1433, 4e Avenue, Québec, Qué., G1J 3B9
Tél.: (418) 529-0215

« Du cœur de pierre au cœur de chair,
c'est le combat de toute une vie.
Un cœur dur ne s'ouvrira pas
au pardon.
Un cœur dur deviendra un cœur avare.
C'est la foi en l'infinie tendresse
qui fait fondre doucement la dureté
de notre cœur.
C'est elle qui éteint en nous la haine
et le ressentiment.
C'est elle qui nous apprend
à comprendre l'autre et à l'excuser.
C'est le long cheminement
de toute une vie qui nous apprend
qu'il faut avoir passé soi-même
à travers l'épreuve pour être
en mesure d'entrer dans le cœur
d'un autre sans le blesser. »

René Coste

INTRODUCTION

Au cours de notre vie, nous avons tous à vivre des crises. Des crises que nous aimerions éviter, mais qui font partie intégrante du cheminement de toute personne.

À la fin du vingtième siècle, les personnes vivent les mêmes états d'âme, les mêmes sentiments, les mêmes émotions que vécurent nos ancêtres en remontant aussi loin qu'Adam et Ève. Donc, ça ne date pas d'hier. Autrefois, les gens n'avaient pas les mots pour exprimer ce qu'ils vivaient; pourtant, ils vivaient ce que nous vivons de nos jours. Évidemment, il faut faire abstraction de tout ce que l'ère moderne nous a apporté en tant que facilités matérielles et technologiques. Lors de la Création, l'homme et la femme n'avaient pas ces facilités, mais affichaient des comportements comme nous en avons de nos jours.

Le titre de ce livre traduit bien son contenu. Passer d'un cœur de pierre à un cœur de chair, voilà le programme de toute notre vie. Qui que nous soyons: hommes ou femmes; riches ou pauvres; forts ou faibles; patrons ou employés; sains ou handicapés, personne ne peut échapper à ce programme qui se veut finalement le grand, le vrai défi de notre vie.

J'ai écrit ce livre pour démontrer que la personne humaine ne trouve la paix intérieure et une certaine sérénité qu'une fois qu'elle a traversé les différentes crises de sa vie. Pour ce faire, j'ai établi des parallèles avec certains personnages de la Bible. Nous verrons que tout comme nous, ces gens dont nous parle la Bible ont eu, eux aussi, des crises à traverser.

Il ne faudrait pas oublier que ce livre n'est pas un traité de théologie ou d'exégèse. Je m'inspire seulement de certains personnages de la Bible pour démontrer qu'eux aussi, tout comme nous, ont eu des étapes dans leur vie respective.

Nous verrons en premier lieu comment Adam et Ève ont tout perdu par orgueil: tentés par Satan, ils n'ont pu résister au désir de devenir des dieux. Pour ce faire, ils ont péché.

Adam et Ève n'avaient jusqu'alors nullement péché et vivaient heureux. Poussés par l'orgueil et la prétention de pouvoir se passer de Dieu, ils se retrouvent honteux après leur faute.

Le comportement d'Adam et Ève est en tous points semblable au nôtre lorsque nous péchons: ils blâment les autres pour leur erreur. Qui d'entre nous n'a pas réagi de cette façon après avoir commis une faute? En blâmant les autres pour nos fautes, nous sauvons la face, les apparences; nous refusons de nous voir dans notre nudité de pécheurs. Nous nous cachons jusqu'à ce que nous acceptions notre condition humaine.

Dans le Nouveau Testament, nous voyons comment Jésus, à l'opposé d'Adam, plonge à fond dans la réalité humaine. Jésus s'humanise par l'amour solidaire de ceux qui sont dans la plus forte situation de manque, les exclus; c'est l'amour qui conduit Jésus à la croix. Le manque d'amour, c'est-à-dire leur refus d'accepter leur condition humaine, conduit Adam et Ève au péché.

Un peu plus loin, nous verrons le tourment que vit Abraham. Dieu lui demande d'abord de laisser ses terres, de partir, de tout quitter sans regarder en arrière. Abraham se fie à Dieu et, dans l'insécurité la plus totale, il va, sans connaître la destination choisie par Dieu.

Dieu lui promet alors une descendance nombreuse. Abraham et Sarah ont presqu'envie d'en rire puisque cette dernière n'est plus en âge d'enfanter. Le doute s'installe en eux jusqu'à la naissance d'Isaac. Au grand soulagement d'Abraham, Dieu accomplit sa promesse.

Mais voilà que Dieu demande à Abraham d'immoler Isaac, son fils unique. Abraham a l'impression que Dieu ne sait plus ce qu'Il veut; un peu comme s'Il donnait d'une main et reprenait de l'autre. Pourtant Abraham obéira à Dieu. Dieu voulait simplement savoir jusqu'où pouvait aller Abraham. Dans l'histoire de cet homme de la Bible, nous verrons que la foi est à la base de tout.

Nous continuerons à faire le parallèle de nos agirs avec ceux d'autres personnages de la Bible: les pharisiens et les publicains. Si nous regardons nos comportements, pouvons-nous honnêtement nous dire satisfaits à 100% de notre façon d'agir? N'est-ce pas que nous avons plus de facilité à voir la paille dans l'œil du prochain que la poutre qui se trouve dans le nôtre! Qui n'en a pas fait l'expérience?

En faisant un bon examen de conscience, nous verrions que ceux et celles qui, à nos yeux, semblent pécheurs et faibles nous dépassent de beaucoup au niveau de la compréhension, de l'humilité et de la charité.

Puis nous arriverons au chapitre qui traite du combat de Jacob. Ce combat avec Dieu est mené dans la solitude. Personne ne peut venir en aide à Jacob. Seul, il doit découvrir et accepter sa vulnérabilité. Pourtant, il est fort, ou le croit-il. Mais Dieu doit le blesser pour qu'il apprenne à s'assouplir, à se libérer de lui-même, à dépendre de Dieu et des autres.

Nous aurons à vivre au cours de notre vie cette période de solitude. Solitude qui fait peur, mais nécessaire pour que nous enlevions notre masque, notre carapace, pour mieux voir notre être avec toutes ses faiblesses et ses blessures.

Puis arrive la phase de la fuite. Nous voulons réaliser notre vie comme nous l'entendons. Pour arriver à nos fins, nous fuirons souvent la volonté de Dieu. Au lieu d'aller où Dieu nous demande d'aller, nous faisons la sourde oreille et nous allons dans la direction opposée, à la manière de Jonas.

Survient cette fameuse crise du milieu de la vie, de notre vie. Nous remettons tout en question parce que nous ne savons plus où nous en sommes. C'est ce que nous pourrions appeler la crise nostalgique. Tout ce que nous avons vécu lors de notre adolescence refait surface. Nous aimerions tellement revenir à cette période de notre vie. De fait, nous adoptons plusieurs attitudes et comportements d'adolescent. Nous refusons de vieillir; alors nous nous habillons comme les jeunes, nous nous grisons dans des sorties futiles, nous ne voulons plus faire face à nos responsabilités. Nous avons l'impression que personne ne nous comprend. Notre sexualité joue un grand rôle lors de cette crise. Nous nous posons cette question: « Pour combien de temps encore? »

Ce refus de vieillir occasionne bien des tiraillements intérieurs, et des conflits avec le conjoint et les enfants pour les personnes mariées. Les célibataires, les religieuses, les religieux et les prêtres ne sont pas exemptés de cette crise du milieu de la vie. Eux aussi remettent parfois tout en question, et il n'est pas rare d'apprendre que certains quittent leur milieu pour aller vivre autre chose.

Toutes les crises ont leur importance, cependant la crise du milieu de la vie se veut la plus cruciale. Ce n'est plus l'heure des choix d'avenir: nous abandonnons nos responsabilités, ou nous continuons de respecter les engagements pris de façon consciente et libre lors de la vingtaine ou de la trentaine.

Dans le chapitre suivant, nous nous attarderons sur le « burn out » d'Élie. Ça fait drôle de dire qu'Élie fut victime d'un « burn out », alors que nous pourrions croire que ce genre d'épuisement n'est apparu qu'au cours des dernières années. Mais c'est bel et bien un « burn out » dont fut victime Élie.

« Burn out »: maladie de la fin du vingtième siècle! Oui et non. Élie en est l'exemple frappant.

Toute personne victime d'un « burn out » vit exactement la même chose qu'a vécue Élie. Le contexte diffère, mais le problème demeure le même.

Nous en connaissons tous des victimes de « burn out »; peut-être l'avons-nous subi? N'est-ce pas que ce mal prend beaucoup de temps à s'éliminer? Il me faut ajouter que le « burn out » n'arrive pas à l'improviste. Plus nous accumulons des responsabilités en croyant que nous sommes indispensables, plus nous nous précipitons vers l'inévitable. Tout est question de mesure, de modération et de répartition des responsabilités. Mais surtout du respect de nos limites.

Dieu ne le veut pas ainsi, mais notre orgueil nous joue de vilains tours. Ce qu'il faut aux personnes souffrant d'un « burn out », c'est du repos, un temps d'arrêt avant de reprendre le travail, et une bonne alimentation. Dieu a guéri Élie en l'obligeant à récupérer, à refaire ses forces. Aujourd'hui, nous appelons cette façon de faire une thérapie.

Finalement, nous aborderons le grand commandement qui veut que nous aimions notre prochain comme nous-mêmes. Pour aimer notre prochain comme nous-mêmes, il faut que nous nous acceptions autant avec nos faiblesses et nos défauts qu'avec nos talents et nos qualités.

Comme il est difficile de nous accepter comme nous sommes ! Pourtant, voilà le secret d'une vie réussie. Lorsque nous nous acceptons complètement, il va de soi que nous n'avons rien à envier à notre prochain. Il ne faudrait pas croire qu'à ce moment-là nous n'avons plus rien à apprendre des autres; cependant, l'acceptation intégrale de notre condition humaine nous permet d'accéder à une paix intérieure qui se reflète dans nos attitudes et nos agirs.

Alors sans prétention, nous pouvons plus facilement évoluer dans nos vies respectives en mettant en pratique ce grand commandement de Dieu.

Ainsi nous pourrons, peu à peu, avec l'aide de Dieu et de notre prochain, nous départir de notre cœur de pierre pour lui substituer un véritable cœur de chair.

CHAPITRE I

De la peur à la confiance

« La frontière
entre le royaume du bien
et le royaume du mal
passe par mon cœur. »

Saint François de Sales

Il faut du temps, beaucoup de temps, pour que notre cœur de pierre, à force d'échecs, de blessures, de douleurs, devienne doucement un cœur de chair. Chaque saison de la vie est là pour essayer d'*amollir* notre cœur; de le rendre compatissant, tendre et miséricordieux comme notre Père l'est.

Réussir dans la vie ou *réussir sa vie* se situe entre devenir doux et compatissant, ou se refermer sur notre égoïsme; c'est-à-dire devenir un cœur de chair ou un cœur de pierre.

Nous pourrions regarder certains personnages de la Bible à travers cette vision de ce combat de Dieu avec l'homme, afin d'apprendre à devenir fragiles et vulnérables.

Qu'est-ce qui différencie les gens d'âge mûr et les vieillards semeurs d'amour et de sagesse, des autres qui ruminent leur passé en se plaignant d'avoir été des victimes? Ne serait-ce pas d'avoir accepté la blessure et la vulnérabilité de leur cœur et d'avoir appris, après des années de lutte et de combats, que seul un cœur d'enfant blessé et vulnérable peut devenir un cœur de chair?

La peur de la fragilité

Le réflexe spontané de tout homme, de toute femme, est d'avoir peur de sa fragilité et de ses faiblesses. Nous nous masquons sous une apparence de force. À partir du moment où nous constatons que, sur un point ou sur un autre, nous ne pouvons pas compter sur nos propres forces, une inquiétude a tendance à s'établir en nous, risquant même de tourner à l'angoisse. Toutefois, le cheminement de notre vie humaine et spirituelle doit nous conduire, peu à peu, à perdre nos sécurités personnelles, en faisant apparaître ce que nous pouvons appeler notre vulnérabilité, notre fragilité, les limites de notre condition humaine. Comme nous avons peur de la faiblesse! Pourquoi avoir si peur de nos faiblesses? Nos faiblesses existent. Longtemps peut-être, nous avons refusé de les regarder. Cependant, la vie doit nous apprivoiser afin que, lentement, nous soyons obligés de reconnaître que nos faiblesses font partie de notre personne. Elles ne sont pas un accident extérieur dont nous pourrions nous débarrasser définitivement un jour.

La vie est un combat où, progressivement, nous devons *laisser fondre* notre cœur de pierre, afin qu'il devienne un cœur de chair. Le Père permettra dans nos vies telle faute devant laquelle nous ne pourrons nier notre condition de pécheur. Il nous fera constater, sans possibilité de doute, combien nos facultés sont limitées.

Paradoxalement, les personnes qui peuvent admettre leurs faiblesses font montre par le fait même d'une grande force intérieure, tandis que celles qui veulent continuellement paraître fortes démontrent leur faiblesse intérieure.

L'acceptation de sa faiblesse est toujours signe d'une véritable maturité humaine et spirituelle. C'est un fait que chaque individu a des insécurités, des blessures et des manques, mais plusieurs veulent les cacher en ne faisant paraître aucune défaillance, laissant croire aux autres leur supériorité ou leur équilibre. Mais en réalité, cet effort pour cacher leur vraie personnalité et leur faiblesse prouve que ces individus ne veulent pas s'identifier à des mortels. Ils veulent montrer qu'ils sont au-dessus des autres; et ce désir d'être sans faiblesses prouve qu'ils manquent d'une véritable connaissance ou acceptation de leur état. Leur ego est si fragile qu'ils ont toujours besoin de porter un masque de force; car ils ne peuvent admettre la vérité. Ils se croient puissants, au-dessus des autres. Ils ont besoin d'être flattés, admirés, cajolés d'une certaine façon.

La grande majorité des gens qui luttent contre l'infériorité désirent « être égal » ou « au-dessus ». Ils essayent d'y arriver en adoptant des comportements de contrôle. Obtenir le contrôle crée une illusion de compensation qui, temporairement, soulage le sentiment d'infériorité. Un tel comportement leur donne le sentiment d'une forte personnalité. Malheureusement, ces façons d'agir ne produisent pas des bienfaits durables, car un jour, la carapace cède; le masque tombe, et la personne se retrouve, à quarante ou cinquante ans, défaite, effondrée, ne sachant trop qui elle est et pourquoi elle a vécu.

Si nous apprivoisons nos faiblesses, ces dernières, au lieu de représenter un danger, constitueront pour nous une possibilité d'entrer en contact avec Dieu. C'est la raison pour laquelle nous devons, peu à peu, nous laisser apprivoiser par elles.

Tôt ou tard, il faut enlever son masque, au moins devant soi-même. Consentir à n'être que ce que l'on est dans son intime pauvreté: tout est là. Ne pas être humble, c'est s'illusionner sur soi-même et ne pas se reconnaître. Pour être réellement présent à autrui, il faut s'être rencontré soi-même. À travers les combats de la vie, il s'agit de devenir soi-même avec ses fragilités et d'arrêter de prétendre qu'on est grand, de prétendre qu'on est fort[1].

Qu'est-ce qu'une vie réussie? Que de réussites masquent l'échec, la tristesse et l'ennui en profondeur! Beaucoup d'hommes admirés sont engagés dans des actions utiles, mais souffrent, sans se l'avouer, du genre de vie qu'ils mènent et se choquent dès qu'on leur parle de personnes qui ont l'air de vivre heureuses. Ils ont peur d'entrevoir leur fragilité. Ils préfèrent refouler leur part d'enfance et se durcir contre toute intrusion.

Pourquoi avons-nous tellement peur de notre cœur de chair? Pourquoi avons-nous tellement peur de cette part d'enfance en nous? En fait, si de nombreux adultes sont ainsi tendus, angoissés ou dépressifs, c'est peut-être qu'ils ont étouffé l'enfant qui vit en eux-mêmes.

Plus je rencontre des gens, plus j'entre dans le cœur humain. Je m'aperçois qu'il y a beaucoup d'adultes actifs, efficaces, admirés, appréciés pour leurs apparences exté-

1. « Un moi sain est un moi flexible. La flexibilité psychique est en effet l'attribut par excellence de la santé mentale. Plus un homme se sent fragile intérieurement, plus il tentera de se créer une caparace extérieure de façon à donner le change, que ce soit par les muscles ou la bedaine. De même, plus ses affirmations seront sans nuances, catégoriques et définitives, plus elles serviront à masquer une incertitude de fond. » Guy Corneau, « *Père manquant, fils manqué* », Éditions de l'Homme, p. 40.

rieures; mais ils sont crispés, tristes, dominateurs, derrière une générosité apparente.

Beaucoup d'hommes et de femmes, absorbés dans des nécessités professionnelles qui leur servent souvent d'alibis, se sont durcis et sclérosés sans même s'en apercevoir. Ce sont des êtres qui passent pour réalistes et logiques, mais qui cachent leur cœur. Ils créent autour d'eux de la tension et ils s'étonnent quand leur enfant fuit la maison.

« Dans l'ombre d'un homme qui a réussi, disait Jules Renard, il y a toujours une femme qui souffre. » Et j'ajouterais: « et des enfants et des adolescents. »

Pourquoi nous cachons-nous? Pourquoi avons-nous si peur de nous révéler? Dès le début de la Bible, nous pouvons lire que l'homme et la femme se cachent l'un de l'autre.

Ils se cachèrent

« Adam et sa femme se cachèrent du Seigneur Dieu, parmi les arbres du jardin. »

Nous avons tous connu, connaissons et connaîtrons ce besoin de nous cacher. Le petit enfant se présente sous son vrai jour, mais aussitôt passées les années de la petite enfance, il se surprend à commencer à se cacher et à mentir.

Il y a bien sûr les vrais mensonges, en paroles ou en actions. Nous les fuyons dans la mesure du possible. Mais il y a également les mensonges inavoués et les dérobades qu'on appelle en psychologie, les projections.

Au lieu d'avouer que nous sommes envieux d'un autre, nous nous persuadons que l'autre nous jalouse.

« Notre première découverte de nous-mêmes, écrit Adrian Van Kaam, devrait être la prise de conscience douloureuse de notre jalousie cachée. Il nous faudra un jour admettre que nous sommes foncièrement envieux, que la jalousie s'insinue dans notre vie et rend notre âme prisonnière. C'est seulement lorsque nous aurons reconnu la présence très forte de ressentiments que nous pourrons traiter avec eux[2]. »

Nous sentir nus

« J'ai eu peur parce que je suis nu et je me suis caché. »

Nous sentir nus sous le regard des autres, voilà une expérience redoutable qui nous amène à nous sentir en état d'infériorité et à nous faire perdre notre assurance. Il faut une amitié profonde pour pouvoir nous dénuder un peu le cœur, livrer nos secrets et nous exposer à ce qu'ils soient connus.

« Un ami, disait saint Augustin, c'est quelqu'un qui connaît tout de moi et qui m'aime quand même. » Être connu, être mis à nu; c'est une épreuve qui fait peur, mais c'est aussi un désir profond du cœur humain.

La nudité est la conséquence principale de la faute. Ou plutôt, la prise de conscience de cette situation: « Ils reconnurent qu'ils étaient nus. » Et ils réagirent en s'habillant.

Pour comprendre ce qu'entend la Bible par le mot nudité, il faut d'abord penser qu'en Israël, ce mot-là n'a absolument pas la résonnance qu'il a dans notre culture moderne. Pour les Israélites, la nudité n'a pas le sens de *nudité-attrait* ou *nudité-impudique*. Eux pensent d'abord: *nudité-humiliation* et, plus encore, *nudité-dénuement*; c'est-à-dire se trouver faible, vulnérable, démuni et désemparé devant une présence dangereuse.

Il y a une espèce de peur du viol dans toute nudité en Israël, une peur physique, mais beaucoup plus spirituelle.

L'homme est un être qui essaie de se protéger beaucoup plus que de s'habiller. Il essaie de jouer un personnage, d'avoir une figure, de se donner des airs. Se donner des airs à ses propres yeux et aux yeux des autres, voilà ce qu'on appelle la parure.

2. Adrian Van Kaam, « *Religion et personnalité* », Éditions Salvador, Paris, 1987, p. 93.

Se fabriquer une façade

Avant la chute, Adam et Ève s'acceptent tels qu'ils sont. « Ils sont nus », dit la Bible; pas nus strictement au plan physique, mais le cœur et l'âme à nu également. Ils sont transparents.

Comment donc comprendre encore plus profondément ce thème de la nudité? Il faut souligner encore une fois que la nudité connote spontanément l'idée de faiblesse, de vulnérabilité. Une personne nue est une personne désarmée et vulnérable.

Et ce n'est pas sans signification profonde que le Nouveau Testament présente Jésus, le Nouvel Adam, parfaitement innocent et parfaitement à l'écoute de Dieu, mourant tout nu sur une croix, dans la faiblesse, le cœur percé, acculé à s'en remettre à la seule puissance de son Père.

Nous agissons souvent comme Adam et Ève. Nous nous cachons. Nous refoulons nos sentiments. Nous disons parfois le contraire de ce que nous pensons. Nous sommes hypocrites, mais pas toujours de façon consciente. Saint Paul nous dit: « Tout homme est menteur ». Surtout ceux qui aiment trop dire qu'ils ne le sont pas. Parfois, nous sommes si blessés que nous voyons l'hypocrisie des autres au lieu de voir nos propres défauts.

Une armure

La quête humaine la plus profonde est celle d'une rencontre qui se veut une véritable communion, où nous partageons le meilleur de nous-mêmes. Nous avons une soif intense d'amour et, en même temps, nous en avons terriblement peur. Aimer réclame que nous nous dévoilions, que nous quittions notre carapace et notre armure, que nous laissions monter à la surface de notre conscience nos fragilités et nos secrets. Bref, c'est mettre notre cœur à nu et partager ce que nous portons au plus profond de nous-mêmes.

Car mystérieusement, deux pauvretés mises en commun se transforment en richesse. « Si on voyait les cœurs » dit une chanson.

Dans une pièce d'Anouilh, « La Sauvage », une femme qui se préparait à abandonner son mari découvre soudainement qu'il n'est pas cet être riche, fort et suffisant qu'elle imaginait. Elle se rend compte que son mari doute, qu'il a honte, qu'il a mal et qu'il n'est pas riche.

Étant montée à l'étage pour faire sa valise, elle le surpend pleurant. Elle aurait bien voulu qu'il lui crie son désespoir. Le mari, de son côté, a peur que sa femme ne le comprenne pas. Elle constate que son mari a besoin de son aide tout comme elle-même a besoin de la sienne.

Elle allait partir comme une idiote pour la simple raison que son mari ne l'avait pas mise au courant de ses propres besoins, de ses faiblesses. Il avait peur de lui demander de l'aide.

En amour, beaucoup d'échecs viennent de ce que nous ne savons pas ce qui se passe sous la carapace de l'autre. Nous ne voyons pas le cœur de l'autre.

Adam et Ève ont revêtu une armure. Cette image représente la tendance naturelle que nous avons à nous cacher, à avoir peur de nous montrer sous notre vrai jour; la tendance à faire semblant que nous sommes forts.

Pour pouvoir répondre à la question de Dieu: « Où estu? », l'homme doit d'abord avouer à Dieu et s'avouer à luimême: « Je me suis caché. »

Nous nous sommes cachés derrière une façade: notre travail, notre force, nos illusions, notre profession et même notre apostolat. Oui, nous nous sommes cachés comme Adam et Ève. Comme eux, nous subissons la première conséquence du péché: avoir peur et se cacher.

Se dénuder le cœur

Nous disons des personnes qui ont de profondes et longues amitiés qu'elles ont toutes quelque chose en commun: l'ouverture à l'autre. Elles possèdent une certaine transparence qui permet aux gens de voir ce qui se passe en elles.

Dans son livre, « Le moi transparent », le psychologue Sidney Jourard élucide certaines questions au sujet de la mise à découvert du moi. Sa principale découverte est que l'homme, au plus profond de lui-même, a une tendance naturelle et intrinsèque à se dévoiler; et que souvent cette tendance est comme bloquée, ce qui cause tôt ou tard de graves problèmes psychiques.

Jourard écrit: « J'arrivais bientôt à me demander s'il n'y avait pas quelques liens entre le refus de mes patients d'être reconnus par les autres et leur besoin de consulter un thérapeute. » Jourard aboutit à une double conclusion: la dissimulation continue et le repliement sur soi-même conduisent à la désintégration de la personnalité, mais la franchise peut être littéralement un vaccin contre la maladie mentale et certaines maladies physiques.

Le psychiatre suisse C. Jung recommandait à ses patients d'étudier ce qu'il appelait « la partie cachée et sombre de notre personnalité ». Jamais nous ne révélerons cette partie de nous-mêmes à quelqu'un d'autre, tant que celle-ci nous fait peur. Il est naturel de penser que les autres nous haïront lorsqu'ils connaîtront cette partie sombre. Pourtant, lorsque quelqu'un nous voit fragile et sans masque, c'est-à-dire dénudé, il se montre beaucoup plus indulgent que nous. Nous aurions raison de qualifier cette réaction d'étrange, bien qu'humaine. L'autre ne possède-t-il pas sa propre partie sombre?

Un autre célèbre psychiatre disait qu'il avait découvert une méthode pour que ses patients s'ouvrent à lui dès le premier entretien. On lui demanda le secret de sa formule magique. Elle était toute simple: il commençait l'entretien en révélant au patient un côté ou un aspect très personnel le concernant, un secret grâce auquel le patient pourrait causer du tort au thérapeute si jamais ce dernier dévoilait son secret.

Peu importe le bien-fondé de cette technique thérapeutique, elle produisait l'effet désiré: elle faisait parler le patient. Le même principe peut s'appliquer à toutes les relations humaines. Si nous enlevons notre masque et osons prendre l'initiative de nous dévoiler nous-mêmes, l'autre nous révélera ses secrets. Hélas! Nous faisons le contraire; nous nous cachons, nous nous masquons, et nous avons peur de l'autre.

La faute de l'autre

L'individu a toujours tendance à rejeter le blâme de sa conduite irresponsable sur autrui. Au lieu de prendre la responsabilité de nos actes, nous rejetons la faute sur un autre. Nous abordons donc la deuxième conséquence du péché: jeter le blâme sur un autre.

Nous appelons cette tendance: « rationalisation ». Nous pourrons, un peu plus loin dans ce volume, expliquer plus en détail ce phénomène psychologique et souvent spirituel à la fois.

Pour l'instant, il est intéressant de remarquer qu'Adam aussi rationalise sa mauvaise conduite. Il rejette la faute sur Ève. Puis, Ève rationalise à son tour: elle blâme Satan. Quelle fut la principale raison qui incita Adam et Ève à rationaliser? « J'ai eu peur », dit la Bible (Gn 3, 10). La peur est très souvent la racine de la rationalisation.

Nous ne devrions pas nous étonner d'avoir des difficultés à assumer les conséquences négatives de nos attitudes et actions personnelles. C'est une conséquence directe d'une blessure en l'homme que la Bible appelle péché. L'une des toutes premières manifestations du péché est la peur: peur de ne pas être aimé, peur d'être rejeté, peur de perdre la face, peur d'être puni, peur d'assumer les conséquences de nos propres actions, peur d'être obligé de prendre nos responsabilités.

L'illustration la plus dramatique de rationalisation se trouve dans le Nouveau Testament. Il s'agit de Pilate sur qui, selon la loi romaine, reposait la responsabilité du sort de Jésus-Christ. Bien qu'il n'eût point trouvé de faute en lui, « il le livra pour être crucifié » (Mt 27, 26). Mais auparavant, « il prit de l'eau et se lava les mains en présence de la foule. « Je suis innocent du sang de ce juste, dit-il. Cela « vous regarde (Mt 27, 24). »

Pilate livra un homme innocent à la mort, convaincu qu'il n'était pas coupable. En se lavant les mains, il essayait de soulager sa conscience du sentiment de culpabilité qui la rongeait. Voilà un autre facteur de rationalisation.

Admettre ses erreurs

Il y a des gens coupables qui se cachent ou rejettent le blâme sur les autres au lieu de reconnaître leurs torts et leurs péchés. Ils nient ainsi leur culpabilité. Ils ont peur d'admettre leurs erreurs. Nous nous comportons souvent de cette manière.

« Les gens qui ont besoin d'avoir toujours raison se sentent en droit de n'être jamais critiqués, mis en doute ou remis en question. Admettre une erreur leur apparaît comme une manifestation de faiblesse. Et puisque leur fausse vertu les empêche de discerner leur part de responsabilité dans quelque difficulté qui surgisse, ils doivent penser qu'ils sont ceux dont on abuse, ceux qui sont les « victimes » des autres. Et comme ils ne peuvent voir que la source de leurs problèmes repose en eux-mêmes, alors ils doivent en rendre les autres responsables[3]. »

N'est-ce pas que nous agissons souvent de la même manière qu'Adam? « Ce n'est pas ma faute, c'est la sienne. Ils ne m'ont pas compris. C'est la faute de la société. C'est la faute de ma femme, de mon mari, de mes enfants. » Les autres ont tort, ils nous rejettent. Les autres sont hypocrites, ils ne nous comprennent pas.

3. Karen Horney, « *Nos conflits intérieurs* », The Norton Library, p. 75.

Nier ou accepter la réalité

Adam a voulu nier la réalité humaine, il a voulu agir en surhomme. Jésus-Christ se fait vulnérable, il accepte la réalité humaine, il accepte les limites humaines.

Les hommes et les femmes les plus équilibrés sont toujours ceux et celles qui acceptent leurs limites et leur réalité de créature humaine[4]. Accepter la réalité comme elle est, sans pour autant tomber dans la passivité, le découragement ou la révolte, voilà la base de l'humilité qui nous met sur le chemin de la vraie sainteté. Ce n'est pas facile. C'est une plongée dans la réalité de la vie. Il s'agit d'une sorte de baptême que nous pourrions appeler: « baptême du réel ».

« Nous assumons alors notre réalité intérieure sans nous évader dans un moi fantastique, construit de toutes pièces à partir d'une belle idée ou d'un modèle extérieur. Nous savons que nous ne sommes ni parfaits, ni condamnés à une fatale déchéance. Nous abandonnons tout souci malsain de comparaison aux autres. Nous édifions tranquillement notre personnalité sur les fondations psychologiques inscrites à la racine de notre être. Nous devenons du même coup capa-

4. Quelle surprise parfois de voir s'effondrer des hommes qui nous paraissaient forts et matures pendant que certaines personnalités beaucoup plus fragiles tiennent le coup malgré les épreuves. Un médecin psychologue américain qui avait étudié le cas d'une centaine de prêtres ayant laissé le ministère sacerdotal écrivait ce qui suit: «*J'ai connu plusieurs prêtres qui ont quitté le sacerdoce et j'ai travaillé avec eux: je les ai connus avant et après leur départ. C'était presque invariablement les hommes qui donnaient le moins de signe qu'ils allaient quitter l'exercice du sacerdoce. Or, il semble que l'un des facteurs à l'origine de leur départ a été leur incapacité de porter leur propre faiblesse humaine, leur humanité foncière. C'étaient des hommes qui paraissaient accomplir et accomplissaient de fait un excellent travail. Ils avaient le souci de la perfection, non pas dans le sens qu'ils y étaient poussés, mais au sens où ils se portaient constamment vers un comportement quasi parfait et y arrivaient presque. C'est d'ailleurs leur proximité de l'idéal qui a porté les gens à s'étonner de leur départ. Mais à y regarder de plus près, on constate que ces hommes ne manifestaient guère leur vraie vie affective. Non seulement ils refoulaient leurs émotions, mais ils paraissaient leur dénier même l'existence. Leurs besoins les plus primaires étaient si entièrement reniés comme insupportables que ces personnes paraissaient en être dépourvues. Et soudain, leurs besoins ont percé leur refus et la répression qui les couvrait. À cause de leur souci de perfection, ils n'avaient pu tolérer l'existence de ce qui les faisait hommes. N'ayant pas accepté leurs limites humaines et leur réalité d'homme incarné, ils se retrouvaient autour de la quarantaine complètement démunis.*» Dr. Robert J. McAllester, *in* «*Journal of Religion and Mental Health*», juillet 1965, p. 335.

bles d'aimer nos proches comme nous nous aimons nous-mêmes, avec sérénité et indulgence[5]. »

Vivre dans la vérité, c'est recevoir, rendre grâce et aimer la vie que Dieu nous donne. Aimer la vie, c'est aussi s'aimer soi-même. S'aimer soi-même, c'est aussi aimer l'autre. Aimer la vie, soi-même et l'autre, c'est accepter de recevoir.

Dans notre propre vie, nous retrouvons quelque chose de l'expérience décrite chez Adam et Ève en *Genèse 3* et, si nous regardons lucidement notre vie réelle, nous devrions voir en quoi nous leur ressemblons.

5. Philbert Avril, « *Toutes voiles déployées...* », Éditions Anne Sigier, Québec, 1986, p. 21.

CHAPITRE II

De la sécurité à l'abandon

« Oser vivre,
c'est préférer le risque
à la sécurité. »

Jacques Leclerc

Nous sommes un peuple en marche, mais nous avons toujours la tentation de nous arrêter dans notre cheminement, de revenir en arrière, de nous durcir. Le combat entre le vieil homme et l'homme nouveau se poursuit toujours en nous.

Ne pas avancer, rester où nous en sommes, régresser, en d'autres termes, nous reposer sur ce que nous avons; c'est très tentant. Considérant notre avoir, nous tenterons de nous y accrocher pour nous sentir en sécurité.

Nous évitons de risquer un pas dans l'inconnu parce que nous avons peur. Seul est sûr ce qui est ancien et éprouvé, ou du moins, c'est ce qu'il nous semble. Chaque nouveau pas renferme le danger de l'échec. C'est une des raisons pour lesquelles les gens préfèrent parfois la dépendance à la liberté. « La vérité vous rendra libres » disait Jésus, pendant que les pharisiens s'accrochaient à leur sécurité.

Le vieil homme en nous discute et se bat pour maintenir les choses comme elles sont et ne pas avancer. Il s'accroche à tout ce qui lui promet sécurité et protection.

Si quelque chose de nouveau doit s'installer en nous, s'il arrive un changement de direction, c'est que quelque chose d'ancien doit mourir. Nous ne pouvons surmonter nos dépendances, notre sécurité, et acquérir une nouvelle attitude libératrice tout en conservant le même état d'esprit. Il faut savoir couper avec nos dépendances; il faut savoir tout quitter. Il faut entreprendre le long voyage vers la Terre Promise.

La tentation est de faire marche arrière. C'est une loi fondamentale de la nature humaine que de passer d'une étape à une autre dans notre développement. Nous avons peur du défi, d'avoir à nous réajuster, et à nous adapter au nouveau et à l'inconnu. Le défi est toujours d'avoir le courage d'aller de l'avant. Nous sommes un peuple en marche et, par les événements, Dieu nous pousse à partir vers la Terre Promise sans nous retourner.

N'est-ce pas la différence entre l'esprit de « secte » et le véritable esprit « ecclésial » que ce besoin de sécurité, de protection, et le refus de se prendre en main?

« Il me semble en effet que la raison d'être profonde d'une secte, quelle qu'elle soit, est d'assurer une illusion de sécurité. C'est toujours pour se défendre contre tout changement ou toute remise en question que la secte se forme en milieu clos. Il s'agit de se protéger des questions posées par l'extérieur. La secte est le contraire de l'amour; elle est le refus du mouvement, la peur de vivre, la peur de quitter sa sécurité[1]. »

Le risque

La sainteté, la vraie, est un risque. C'est laisser quelque chose derrière soi et avancer. Nous laissons en arrière ce qui est certain et nous nous aventurons dans l'inconnu. Nous renonçons à ce qui nous est cher et poursuivons la route comme des hommes, nous retourner.

« Celui qui met la main à la charrue et regarde en arrière n'est pas fait pour le royaume de Dieu (Lc 9, 62). » Une expression courante nous dit: « Partir, c'est mourir un peu. » C'est dire adieu à des personnes, des choses, des lieux auxquels nous sommes très attachés. Partir, c'est couper; c'est nous séparer de notre « ego ». Cela fait partie de notre vie. Nous avons peur de partir, nous avons peur de dire un vrai oui à Dieu.

C'est mon oui que Dieu attend: pas celui de ceux et celles qui m'entourent ou dont je suis trop dépendant; mais mon propre oui, celui que personne ne dira à ma place. C'est ce oui personnel que je dois dire dans la solitude de mon cœur. Si je suis habitué à me sentir entouré, si j'ai besoin de l'approbation d'un autre, mon oui ne sera pas objectif et je penserai faire la volonté de Dieu, par crainte de perdre l'affection de quelqu'un, d'un groupe, ou la sécurité dans laquelle

1. Marc Oraison, «*La Transhumance*», Seuil, 1970.

j'ai trouvé refuge. Je dois descendre dans les profondeurs de moi-même pour poser l'acte de ma vie. Celui ou celle qui veut toujours être entouré, encouragé, soutenu par un autre ou par d'autres ne peut jamais atteindre cette profondeur. Il s'agit d'accepter la solitude, et c'est ce que l'homme redoute le plus.

« Beaucoup recherchent la vie communautaire par crainte de la solitude. Leur incapacité de rester seul les pousse vers un groupe. De même certains chrétiens qui ne supportent pas d'être seuls, espèrent trouver de l'aide dans la compagnie d'autres hommes. Mais la communauté n'est pas un sanatorium spirituel. Que celui qui ne sait pas être seul se garde de la vie communautaire[2]. »

« La solitude, nous dit Jean Sullivan, est la seule porte d'accès vers une communauté réelle. Il y a toujours un désert à traverser qu'on trouve aussi bien au cœur des villes, au creux des foules. »

Sullivan ajoute: « Ce qui en nous refuse et fuit la solitude, ce n'est pas le besoin de communication avec les autres, mais c'est ce qui a peur de la vraie rencontre, ce qui ne veut pas mourir, ce qui dit non à la communication véritable et qui nous fait nous serrer comme des brebis pour avoir chaud, mais sans se rencontrer. Nous avons tous peur du désert, de la solitude parce que nous avons peur de nous rencontrer. »

Refuser de partir, refuser de tout quitter, se réfugier dans la sécurité; voilà ce qui bloque la croissance et provoque une sclérose. Dans les cas extrêmes, cela peut produire une névrose.

Comme Abraham

Abraham est notre père dans la foi. Dieu lui demanda, un jour, un oui inconditionnel.

2. Dietrich Bonhoeffer, «*De la vie communautaire*».

Dire oui à Dieu contient toujours un risque et demande du courage. C'est laisser quelque chose derrière soi et avancer. Nous laissons en arrière ce qui semble certain et nous nous aventurons dans l'inconnu.

Un tel exode est toujours difficile. Couper, mourir à soi; c'est une loi spirituelle. Il faut que la graine meurt, pourrisse en terre, pour fructifier. Il faut que le bébé se libère du ventre de sa mère pour naître, que l'enfant abandonne la sécurité de l'enfance pour devenir adolescent, que le jeune quitte ses parents pour choisir sa vocation propre.

Être homme chrétien, c'est essentiellement vivre dans une situation d'exode. Partir, tout quitter; c'est une part de la vie.

Le rôle d'Abraham, en tant que père des croyants, est essentiel dans l'origine de notre foi. Jésus en parlera souvent. Au chapitre 4 de l'Épître aux Romains et au chapitre 2 de l'Épître aux Hébreux, saint Paul nous parle d'Abraham pour décrire ce qu'est un homme de foi. En considérant les principales étapes de sa vie, ses différentes épreuves, nous pouvons voir comment Abraham peut être un modèle pour nous aujourd'hui.

La première épreuve d'Abraham, c'est de se voir arraché à sa vie passée, à son pays, à sa famille, à la maison de son père. Il doit quitter sa manière de vivre, quitter sa sécurité. Il doit se désinstaller. Il est dans l'obligation de changer le cours de son existence. C'est l'appel que Dieu lui lance et qui aussi retentit dans notre vie humaine et chrétienne: « Pars! »

Partir

Dans toute vraie vocation chrétienne, il y a toujours un départ. Nous sommes appelés à tout quitter, à nous laisser désinstaller.

Le Seigneur dit à Abraham: « Pars de ton pays. » « Partir »: comme ce mot résonne puissamment dans nos souvenirs, nos rêves ou nos peurs!

Il n'est pas étonnant que l'histoire du salut commence par un départ, car notre vie humaine et notre histoire commencent ainsi. La naissance est un départ. Le bébé quitte le ventre de sa mère, et c'est le début d'une aventure où l'enfant, d'étape en étape, grandira vers sa pleine croissance, son plein développement. Un jour, cet enfant d'hier devra quitter son père et sa mère, pour ne former plus qu'un avec sa femme ou son mari. Tous deux, à leur tour, seront les transmetteurs de la vie. Ils seront source de nouvelles naissances, de nouveaux départs. Si cet enfant d'hier a la vocation au célibat consacré ou à la vie religieuse, il devra aussi partir, s'arracher à sa famille naturelle pour, de façon adulte, s'assumer en toute liberté afin de se donner à sa nouvelle communauté de vie.

L'homme est appelé à partir, et au moment de la mort, n'est-ce pas un des mots les plus justes pour désigner l'issue terrestre de notre vie? « Il est parti, il nous a quittés. » Il n'a pas sombré dans le néant; mais il est parti ailleurs, au-delà, vers ce pays qui l'attendait.

Entre le départ à la naissance et celui à la mort, la vie de l'homme est habitée par la peur; et le désir de partir ou de repartir, après un échec subi ou quand la routine menace.

Le départ est donc un des symboles les plus universels; car si l'homme est fait pour l'infini, ne serait-il pas, d'une certaine façon, un perpétuel partant, un éternel commençant?

La foi, cependant, n'est peut-être pas surtout un départ comme une marche vers l'avant. Partir pour aller là où Dieu nous mènera.

Lorsque nous mettons la main à la charrue, il ne faut pas revenir en arrière. Le danger de revenir en arrière, de nous installer dans une certaine médiocrité nous guette toujours. La folie de l'amour nous fait peur. Nous préférons ce que nous appelons le juste milieu qui, bien souvent, n'est en fait que de la tiédeur. Nous avons peur de plonger dans l'inconnu, nous avons peur de la brûlure de l'amour. Dans toute vocation chrétienne qui est appel à la sainteté, il y a toujours un élément de folie, un élément contraire à l'esprit du monde.

La crainte de partir...

Nous avons peur de partir vers l'inconnu. Cette crainte nous empêche de croître humainement et chrétiennement. Pour plus de sécurité, nous préférons nous tenir à ce que nous sommes déjà, plutôt que de prendre des risques et d'aller vers l'inconnu.

« Deux forces sont à l'œuvre en tout être humain. L'une recherche la sécurité, et fuit le danger et l'inconnu ; elle nous pousse à revenir en arrière et à nous accrocher au passé, à nous en tenir à la communication primitive que nous avions dans le sein maternel ; elle craint les initiatives, l'indépendance, la liberté, tout ce qui pourrait gâcher l'acquis. L'autre force encourage à aller de l'avant, elle nous pousse à la confiance... La sécurité et la croissance ont leurs angoisses et leurs joies. Mais nous progressons vers la maturité lorsque les joies de la croissance et les angoisses de la sécurité sont plus grandes que les angoisses de la croissance et les joies de la sécurité[3]. »

Nous avons peur de l'insécurité, nous avons peur de l'inconnu ; nous cherchons à être entouré, pris en mains, rassuré. Il existe souvent en nous une crainte de grandir, un désir de nous cramponner à des traits de personnalité qui nous retiennent en arrière ou qui nous font même régresser. Ceci peut se comprendre, car il y a toujours un risque à croître. Nous avons toujours un peu peur de l'inconnu. Nous sommes faits d'habitudes, et avons tendance à reproduire le passé et à nous cramponner à nos illusions. Nous nous sentons bien en terre connue avec des personnes que nous connaissons ; nous avons peur d'affronter la

3. A.-H. Maslow, *Toward a Psychology of Being*, Van Nostrand, New York, 1968, pp. 46-47.

différence, de quitter la sécurité. L'appel de Dieu nous désinstalle.

« Dieu arrache Abraham à son clan, à sa vie ancienne, façonnée par son milieu; il en fait une personne par son obéissance personnelle à un ordre personnel. Jusqu'à la dernière page de la Bible, vous trouverez des hommes interpellés par Dieu, arrachés par cet appel aux préjugés de leur clan, aux pulsions de leurs instincts, aux automatismes de leur vie animale et qui deviennent par là des personnes et des prophètes, c'est-à-dire des hommes libérés, majeurs, créateurs, découvrant le vrai sens des choses et l'enseignant aux autres[4]. »

Au moment de l'appel de Dieu, Abraham a une femme, des serviteurs, des biens et il n'est pas trop jeune. Mais Dieu parle et il obéit. Il quitte sa manière de vivre et part vers l'inconnu.

La foi pure

La première épreuve de la vie d'Abraham, c'est de quitter ses anciennes valeurs, son ancienne façon de vivre et de partir. Il lui faut partir; il part vers l'inconnu. Abraham doit quitter sa façon de voir et s'élever à un plan supérieur: celui de la volonté divine.

Dans la vie de toute personne qui veut marcher vers la sainteté, il y a toujours cet ordre intérieur de partir. Ne sachant pas où elle va, elle se contente de savoir et de croire que c'est Dieu qui la guide.

Cet arrachement est difficile; et plus on vieillit, plus il devient pénible de partir sans savoir où l'on va. Au plan spirituel, il s'agit de nous laisser mener. Parfois la route nous semble longue et obscure. Nous ne voyons plus rien. C'est un renoncement à mener notre vie comme nous l'entendons. Voilà la foi pure!

4. Paul Tournier, «*Bible et médecine*», Delachaux et Niestlé.

Un renoncement

La foi est toujours une séparation, un renoncement. Tout d'abord un renoncement à notre suffisance orgueilleuse, au sentiment que notre raison est capable de se tirer d'affaire par ses propres forces, qu'elle n'a nul besoin d'une intervention de Dieu. Mais il nous faut savoir que toute foi sera d'abord abandon de notre propre suffisance. Il faut partir sans savoir où nous allons. Saint Grégoire de Nysse va jusqu'à dire: « C'est parce qu'il ne savait pas où il allait qu'Abraham savait être sur la bonne voie, car il était sûr ainsi de ne pas se laisser conduire par les lumières de sa propre intelligence, mais d'être conduit par la volonté de Dieu. »

Changer son existence

Abraham change toute son existence. Il part pour une destination qu'il ignore.

Dans « Crainte et Tremblement », Kierkegaard écrit d'Abraham: « Il laissa une chose: sa raison terrestre, et en prit une autre: la foi. Sinon, songeant à l'absurdité du voyage, il ne serait pas parti. »

À nous aussi, Dieu demandera souvent, dans nos vies, de quitter quelque chose ou quelqu'un. Il nous faut accepter que certains amis nous quittent et nous abandonnent si nous voulons demeurer fidèles à ce que Dieu veut de nous. Nous devons toujours être dans un état de disponibilité.

Périodiquement, Dieu nous invite à changer de vie, sur un point ou sur un autre. Pas nécessairement à renoncer à une vie pénible pour une vie meilleure, mais à franchir une nouvelle étape en renonçant peut-être à quelque chose de bon en soi pour une autre chose également bonne. Il faut quitter notre pays, abandonner notre sécurité en nos habitudes.

C'est une erreur d'imaginer que la tentation par excellence du chrétien soit la révolte. La grande tentation est plutôt le désir de la sécurité. Nous avons peur de la liberté, nous avons peur de « quitter » ce qui nous donnait la sécurité. Après Abraham, au temps de Moïse, les Hébreux ont peur de leur nouvelle liberté, ils en viennent à regretter l'Égypte: «*Donnons-nous un chef et retournons en Égypte.*»

Certains peuvent même croire être surnaturels parce qu'ils obéissent et sont mus simplement par un attachement très humain à une personnalité qui les sécurise. Le Père Marie-Eugène de l'Enfant-Jésus dans son ouvrage magistral «*Je veux voir Dieu*» explique ainsi l'illusion de la fausse obéissance: «Dociles ou même passifs par tempérament, n'ayant point d'idées personnelles, et leur volonté manquant d'énergie pour s'affirmer et courir un risque quelconque, obéir leur paraît habituellement, sinon constamment, le parti le plus facile, leur obéissance est facile, mais peu ou point surnaturelle.

«C'est un danger semblable qui menace ceux qui sont très attachés à leur supérieur. Cet attachement est louable quand il reste discret, mais il risque cependant de maintenir l'âme en des relations simplement naturelles avec le supérieur et d'arrêter l'élan de la foi.

« Ainsi les qualités éminentes d'un supérieur peuvent être un obstacle qui arrête le mouvement de la foi avec Dieu. On obéissait parfaitement, croyait-on. Le supérieur change, c'est la crise et l'obéissance semble avoir disparu. »

On ne voulait pas « quitter » l'ancien supérieur pour se laisser insécuriser par le nouveau. On croyait vivre l'obéissance religieuse mais on était plutôt sécurisé par une personnalité qui nous prenait en main. « Donne-nous un roi qui marchera devant nous », disait le peuple de Dieu. C'est toujours la même tentation de revenir en arrière et de refuser de quitter une ancienne façon de vivre. «Pars... » dit le Seigneur à Abraham.

Comme l'écrit si bien Alain Grzybowski: «Quitte ton pays! C'est vrai aujourd'hui pour tant de mes frères: Vietnamiens, Laotiens, Cambodgiens, Libanais, Palestiniens, réfugiés politiques d'Amérique latine ou d'Afrique.

C'est vrai pour tous les changements de résidence plus ou moins imposés. Combien de confidences douloureuses sur les arrachements successifs provoqués par des déménagements moitié voulus moitié subis ! Et, pris au sens figuré, que de fois devons-nous entendre ce « Quitte ton pays. » Quitte ton pays... ton mode de vie... ton emploi te fait défaut et le chômage t'attend. Quitte ton pays... et regarde ton conjoint avec des yeux nouveaux[5]. »

Désert et silence

Ce n'est pas facile de quitter un milieu, un pays, une maison. Pour notre raison, le plus difficile encore, c'est de partir sans savoir où nous allons, sans savoir ce que nous ferons et de marcher longtemps sans apparemment arriver au but.

Dans notre vie spirituelle et apostolique, nous retrouvons de ces étapes où nous ne comprenons plus rien, et où nous ne savons pas trop où nous allons. C'est le désert et le silence de Dieu.

Durant ces années de silence, Abraham se pose sûrement des questions et ressent l'angoisse du silence de Dieu. « Me suis-je trompé ? Était-ce une illusion ? » Il ne comprend pas. Il vit l'épreuve du désert. Il marche sans connaître la route, ni les étapes ni le terme. Abraham se fie à Dieu. La Bible dit: « Abraham continua sa marche d'étape en étape (Gn 12, 9). »

La sainteté, c'est marcher d'étape en étape, souvent dans la nuit, en ne voyant pas le chemin ni le terme du chemin, mais en sachant que notre main tient dans celle du Père.

La longue attente

Après ce silence et ce désert, à la même période, il y a pour Abraham ce que j'appellerai l'épreuve du temps. Dieu

5. Alain Grzybowski, « *Sous le Signe de l'Alliance* », Éditions Saint-Paul, pp. 26-27.

va faire une promesse à Abraham. Sara, sa femme, n'est plus en âge d'avoir d'enfant. Un jour, Yahvé dit à Abraham: « Je rendrai ta postérité nombreuse comme la poussière de la terre (Gn 15). »

Malgré l'invraisemblance de la promesse, Abraham l'accueille. Il croit en la parole de Dieu. Humainement, la promesse ne peut se réaliser, puisqu'il est sans enfant. Les années s'écoulent, et il supporte l'épreuve du temps et de la longue attente; car la promesse de Dieu semble de plus en plus un rêve.

Durant des années, ce sera le silence de Dieu. La promesse ne semble pas vouloir se réaliser. Comme le dit si bien le Père Molinié: « Abraham a toute raison de se montrer sceptique au sujet des promesses divines qui ne semblent pas promptes à se réaliser. Cet exemple suffit à définir la situation permanente des serviteurs de Dieu. Ils sont affrontés à une contradiction qu'aucune sagesse ne parvient à surmonter: d'une part, l'affirmation répétée d'un amour extraordinaire et jaloux, appuyée par des signes eux-mêmes extraordinaries — ceci au-dehors — et au-dedans un feu dévorant qui pousse à « espérer contre toute espérance ». D'autre part, des faits... indiscutables, massifs, innombrables, suffocants, et au-dedans la complicité du cœur humain qui, laissé à lui-même, retombe aussitôt dans l'impression irrésistible (combien justifiée, croit-on, par tous ces faits) qu'il ne peut pas en être ainsi, que tout cela est du rêve ou un conte de fées... et c'est alors qu'en effet le démon nous attend pour nous entraîner au-delà du doute dans le vertige du néant et dans les ténèbres de l'angoisse[6]. »

Oui, cette épreuve du temps et de l'attente est une très lourde épreuve, car tout semble nous dire: « tu t'es trompé ». Comme pour Abraham, la promesse ne semble jamais se réaliser et les aspirations de notre cœur semblent une illusion ou un beau rêve.

---

6. M.D. Molinié, o.p., « *Le combat de Jacob* », Cerf, pp. 24-25.

Attendre la réalisation de la promesse

Pour résumer un peu, rappelons-nous que pour un juif, réussir sa vie, c'était avoir une terre et des enfants. Abraham, lui, n'avait ni terre ni enfant. C'est alors que Dieu lui fait cette promesse d'une terre et d'une descendance, promesse qui se situe précisément au cœur de l'échec d'Abraham.

Revoyons un peu notre histoire personnelle. Où avons-nous échoué dans notre vie? L'endroit dans notre vie où nous ressentons l'échec, c'est un peu comme une blessure qui attend d'être guérie. C'est là que nous pourrons mieux voir la promesse de bonheur que Dieu nous fait personnellement.

Suite à cette promesse, Abraham se lève et quitte son coin de pays pour se mettre en marche, pour aller où Dieu le conduira.

Et nous, qu'avons-nous quitté pour suivre Dieu? Que nous faut-il quitter encore?

Après ce départ, cette rupture, nous expérimenterons probablement que la promesse ne se réalise pas pleinement. Nous ressemblons à Abraham puisque, comme lui, nous devons attendre la réalisation de la promesse divine à notre égard.

Cela faisait longtemps qu'Abraham était parti. Il n'avait toujours pas trouvé de terre et n'avait pas d'enfant. La promesse semblait irréalisable, car sa femme était stérile. Sara suggère donc à Abraham de prendre Agar, sa servante, et d'avoir un enfant avec elle: « Dieu n'est tout de même pas fou. Il voit bien que je suis stérile... »

C'est la tentation de forcer la main de Dieu, de faire arriver la promesse selon nos vues. Dans notre vie, quand le bonheur promis tarde à venir, comment nous organisons-nous pour réaliser nous-mêmes, sans Dieu, la promesse qu'il nous assure de réaliser lui-même?

Quelles sont nos solutions? Comment reprenons-nous en main les choses que nous avions laissées à Dieu? De quelle façon nous organisons-nous pour réaliser la promesse de

Dieu, pour nous sauver nous-mêmes et nous dire que nous ne sommes pas comme le reste des hommes? Pourquoi avons-nous si peur d'avouer notre faiblesse et notre vulnérabilité?

C'est à travers la pauvreté, l'échec et la faiblesse que Dieu aime agir. Ce qui est impossible à l'homme est possible à Dieu. Notre Dieu est le Dieu de l'impossible!

L'épreuve du sang

Abraham et Sara ont attendu des années la réalisation de la promesse. L'enfant est né, il a grandi et est devenu adolescent. Enfin, Abraham détient un signe visible que, ce que Dieu lui a dit il y a plusieurs années, pourra se réaliser par Isaac. C'est alors qu'arrive l'épreuve du sang.

Dieu va éprouver la foi d'Abraham jusqu'à la folie du raisonnement humain. Ce sera la purification de l'esprit. Saint Syméon, le Nouveau Théologien, affirme avec force que: « Sans passer par le creuset des angoisses et en affrontant maintes épreuves, il est impossible d'entrer dans l'expérience spirituelle authentique et d'atteindre la purification de son âme et de son cœur. »

Abraham passera par la purification la plus terrible, celle qui fera de lui le « père » des croyants. Il sacrifiera sa paternité au niveau humain. Il fera mourir tout ce qu'il y aurait en lui de trop possessif, de trop paternaliste, de trop dominateur.

Au chapitre 22, c'est peut-être le récit le plus poignant de la Genèse: « Il arriva que Dieu éprouva Abraham et lui dit: « Abraham »; il répondit: « Me voici ». Et Dieu lui dit: « Prends ton fils, ton unique, que tu aimes, Isaac, et va-t-en « au pays de Moria et là, tu l'offriras en holocauste sur celle « des montagnes que je t'indiquerai. »

C'est vraiment l'épreuve du sang: la nuit de la foi, la nuit de l'esprit. Abraham, toute sa vie, avait attendu la naissance d'Isaac, l'enfant de la promesse.. Il ne vivait que pour cela.

Dieu lui avait promis une postérité comme la poussière du sol et les étoiles du ciel. Sara, son épouse, était stérile. Dieu intervient et l'enfant vient au monde. La promesse est en train de s'accomplir. Et voilà que Dieu semble se contredire puisqu'il lui demande d'immoler son fils, son fils unique, l'enfant même de la promesse.

C'est donc la purification totale, le grand drame de sa vie. Le drame d'Abraham n'est pas surtout le fait d'immoler son fils. (Cela se faisait parfois chez les peuplades de ce temps-là). Le drame et l'épreuve d'Abraham, c'est qu'il lui fallait continuer à croire que Dieu lui donnerait une postérité, que Dieu serait quand même fidèle, malgré tout, à sa promesse de lui donner une descendance.

C'est le déchirement entre une contradiction et une promesse qu'il ne veut pas nier. C'est la folie de la sagesse de Dieu qui contredit la sagesse de l'homme.

Immoler notre Isaac

Saint Jean Chrysostome dans une homélie sur le sacrifice d'Abraham s'écriera: « Dieu contredit Dieu, la foi contredit la foi, le commandement contredit la promesse. »

Cette épreuve d'Abraham, nous la vivrons, d'une certaine manière, dans notre vie chrétienne. Nous avons tous un « Isaac » à immoler. C'est peut-être un projet, un groupe, une personne à qui l'on tient. Nous nous sommes dépensés corps et âme pour former un groupe; et voilà que nous devons l'immoler, nous en détacher. Nous avons fait un rêve, et voilà que tout semble s'écrouler. C'est la nuit: durant des jours, il nous semble que la promesse de Dieu est une illusion; car il semble vouloir que nous immolions ce que nous croyions qu'il voulait de nous. Et cela nous fait vivre un déchirement, une angoisse terrible, une mort affreuse. C'est la purification de notre foi.

Abraham est vraiment le « père » de notre foi. Nous passerons aussi par l'épreuve du sang et de l'immolation de notre « Isaac », si nous voulons être fidèles dans notre vie chrétienne à ce que la Bible nous appelle à vivre.

Refermer la main ou l'ouvrir?

Mis à l'épreuve, Abraham a reconnu Isaac comme un don. Il n'en a pas fait sa chose, il n'a pas refermé ses mains ni refusé son fils. Il a quitté son Isaac, car il voulait que celui-ci devienne un homme; c'est-à-dire qu'il soit lui-même et non pas seulement le fils d'Abraham.

Combien de parents, combien de pères spirituels et d'éducateurs auraient besoin de méditer sur le sacrifice d'Abraham! Il est tellement facile de nous croire désintéressés en faisant du bien aux gens, sans nous rendre compte que nous sommes trop paternalistes et que nous voulons dominer les gens en les rendant semblables à nous.

Nous avons besoin d'être purifiés. Chacun de nous est enfermé derrière des murailles d'égoïsme et ramène souvent tout à lui. Il faut mourir à soi pour arriver à la vraie libération du cœur et à la sainteté. Mourir d'abord à cet amour possessif qui a peur de la solitude, qui a peur de la séparation d'avec les autres, qui a besoin de dominer l'autre et qui a peur de faire de la peine par crainte du rejet. Il nous faut mourir à la fausse générosité imbibée d'une recherche subtile de soi et de domination sous l'apparence du « bien que nous voudrions faire aux autres ». C'est le renoncement le plus difficile qui soit: le renoncement à notre image.

Les faux pères...

La vraie paternité n'est pas ce que l'on croit. Elle a besoin d'être purifiée de tout ce qui est possessif.

Il peut se produire, de fausses recherches comme le dit si bien Henri Samson, s.j., dans « Propos spirituels d'un psychiatre »: « Il arrive que nous cherchions le père, mais pas de la bonne manière. Ce que nous n'avons pas obtenu de notre père, nous croyons le retrouver avec ce père avec qui nous devenons liés affectivement. Nous voudrions que ce nouveau père nous dise quoi faire. Nous voudrions qu'il prenne possession, une fois pour toutes, de notre conscience pour la diriger. Nous voudrions nous abandonner moralement entre les mains de ce père sûr. Nous cherchons la sécurité, la protection, l'appui, mais nous nous retrouvons dépendants, vraiment appuyés mais incapables de marcher seuls. Nous cherchons faussement un père. Avec les années il arrive que cette dépendance devienne malsaine. Elle crée un nouveau besoin: celui de rester dépendant, de ne pas prendre ses responsabilités. Cette recherche du père devient plus maladive encore, quand le père s'impose par une attention continue. Sans nous en rendre compte, nous idéalisons un personnage. Nous nous faisons une image idéalisée de ce nouveau père. En réalité, ce sont des besoins affectifs qui nous guident. Si ce faux père est lui-même victime de ses besoins affectifs, nous nous apercevons un jour que cet être est aussi un dépendant et un faible. Mais nous ne sommes pas toujours prêts à croire que ces liens sont faux. Ce faux père peut être aussi un homme que nous admirons depuis longtemps, qui semble tout savoir. Il a tellement d'aisance que nous le prenons pour un homme fort, un homme dégagé, mûr, et nous nous laissons prendre par le mirage, les apparences qui l'entourent. Nous nous découvrons comme une nouvelle personnalité au service de ce personnage et celui que nous voulions comme protecteur apparaît comme celui que nous avons besoin de protéger[7]. »

Utiliser notre vertu

Pierre Van Breemen, dans son livre intitulé: « Je t'ai appelé par ton nom », nous fait part d'une religieuse qui, après avoir fait carrière vingt ans à titre d'infirmière, découvre avec consternation qu'elle ne s'est jamais réellement dévouée aux autres. Les personnes qu'elle voulait

7. Op. cit., p. 34 à 36.

aider n'étaient que des projections et des prolongements d'elle-même. Elle avait besoin de son apostolat pour se prouver quelque chose. Elle ne s'était jamais renoncée et ne s'était jamais perdue pour l'autre. Ce qu'elle appelait service des malades et apostolat, n'était que service d'elle-même. Cela peut paraître exagéré, mais c'est possible.

Dans notre travail, dans notre apostolat, nous pouvons utiliser nos soi-disant désintéressement et service pour bâtir notre propre royaume. Si l'on nous rejette, nous nous sentons quasiment des prophètes ou des saints. Puisque l'on nous fait souffrir, c'est que nous avons raison, et nous nous considérons tout comme les serviteurs souffrants d'Isaïe, au lieu de regarder nos fautes. C'est alors que nous utilisons notre vertu et nos souffrances pour notre propre glorification. Nous aimons passer pour des personnes vertueuses et charitables qui vivent toujours la pureté d'intention. Si les autres nous font souffrir, c'est qu'ils manquent de charité et qu'ils ne nous comprennent pas, nous, les pauvres victimes.

La fausse bonté

En chaque être humain, il y a la peur de se trouver seul. Cette peur de la solitude peut être malsaine et peut empêcher une personne de prendre une décision contre quelqu'un qu'elle apprécie parce qu'elle a peur d'être rejetée par ce dernier. Elle se soumet, de peur de prendre des risques. Cette personne pourra garder toute sa vie des comportements immatures. Cette personne se cache parfois sous un masque de fausse bonté et a toujours besoin d'être approuvée.

Comme l'écrit Adrian Van Kaam: « Ce besoin d'approbation me rend extrêmement sensible à tout genre de rejet, de la part de n'importe qui, mais surtout des personnes qui représentent pour moi l'autorité en matière de religion. Je puis même être tenté de négliger ce que Dieu veut de moi si je sens que cela risque de mettre en péril l'approbation dont j'ai tant besoin. Au lieu d'écouter l'Esprit et d'accepter d'un cœur humble le risque de faire des erreurs et de m'attirer de la désapprobation, je serais tenté de n'écouter que mon propre besoin d'affection et d'adulation. Je peux même aller jusqu'à me tromper moi-même avec ce raisonnement; être parfait aux yeux des autres, c'est être parfait aux yeux de Dieu. À partir de ce moment, ma vie spirituelle devient une façade. Mon obéissance peut alors être utilisée comme une occasion de fuite du risque de la responsabilité dans les domaines qui restent ouverts à mon libre choix. Mais si je reste bien au chaud, je fais en sorte qu'il soit impossible pour aucun supérieur de trouver un défaut à mes idées ou dans mes actions. Personne ne peut condamner une initiative qui n'existe pas[8]. »

Vivre par procuration

« Un autre symptôme de tendances névrotiques dans ma recherche de la perfection religieuse ne serait-il pas mon besoin d'un prêtre, d'un directeur spirituel ou d'un ami pieux qui accepterait d'assurer la pleine responsabilité de ma vie religieuse. Si j'ai une personnalité religieuse névrotique, je tenterai de vivre ma vie spirituelle indirectement par cette autre personne, comme « par procuration ». Je déteste me retrouver seul et abandonné. Je me sers inconsciemment de la direction spirituelle pour m'assurer une sécurité, au lieu d'en faire un moyen de croissance personnelle[9]. »

« Au lieu de prendre des risques je m'oblige à ne rien demander. Je prends faussement comme idéal d'être modeste, de ne pas être remarqué, de m'effacer. Je peux m'imaginer que cette attitude donne la preuve de mon humilité. Toutefois, une analyse plus approfondie me révélerait que cette attitude provient de ma crainte névrotique de manquer mon coup ou de perdre mon auréole de réserve et

8. Adrian Van Kaam, op. cit., p. 210.
9. Adrian Van Kaam, «*Religion and Personnalite*», Dimension Books, pp. 154-159.

d'oubli de soi. Mais si j'étais une personne religieuse authentique, j'accepterais le rejet, j'accepterais de me prendre en mains et de porter la jalousie des autres alors Sa volonté compterait plus pour moi que le fait d'être accepté par les autres comme une sainte personne[10]. »

Pour devenir un homme mature et un chrétien adulte, je dois accepter de mourir à moi-même.

Mourir à nos oeuvres

Abraham a sacrifié Isaac. Il a reconnu Isaac comme un don, il ne l'a pas retenu. Il fallait que la paternité selon la chair d'Abraham passe par la mort pour qu'Isaac devienne porteur de la bénédiction et engendre à son tour. Abraham avait bien compris la raison de son sacrifice.

Nous aussi, nous avons un « Isaac » à sacrifier. Nous sommes tous portés à nous attacher à nos œuvres, nos travaux, notre apostolat, nos enfants charnels ou spirituels. Oui, il nous faudra, à notre tour, sacrifier notre « Isaac » et faire mourir peut-être ce à quoi nous sommes le plus attachés.

« Qu'il est difficile d'aimer », chante Gilles Vigneault. Aimer quelqu'un, ce n'est pas organiser des choses pour lui. Aimer quelqu'un, ce n'est pas se pencher sur lui. Aimer, c'est désirer que l'autre personne puisse croître, grandir, devenir elle-même, c'est-à-dire différente de moi.

La purification

L'amour a toujours besoin d'être purifié. Prenons par exemple ce maître avec son élève ou ce père spirituel avec celui qui lui demande l'aide de son accompagnement.

C'est là, peut-être, que le risque est plus grand, parce que plus subtil: risque de l'accaparement par le père qui dira: « Mon fils, mon préféré, fais ce que je te dis. Modèle-toi sur

10. Idem

moi, je suis ton guide. Tu n'as rien à craindre. N'essaie pas d'autres chemins que ceux que j'ai suivis moi-même. Je suis ton modèle. » Et le fils ou l'élève de répondre: « Maître, je te suivrai partout où tu iras. » Ce n'est plus alors un chemin de croissance spirituelle, mais un engourdissement dans une mauvaise confiance.

Jack Dominison, dans son volume « *Maturité affective et vie chrétienne* », explique ainsi l'épisode du Temple où Jésus à douze ans se sépare de ses parents: « Jésus n'avait aucun doute sur ce qui constituait sa relation primordiale. Il lui était demandé de se *détacher* de Marie et de Joseph, cela sans la moindre trace d'anxiété, pour se tourner vers une tâche au sujet de laquelle il n'éprouvait pas la moindre hésitation. À un stade aussi précoce, il était à même de survivre seul sans aucune peur, séparé de ses parents, et d'agir ainsi tout en sachant bien que cela leur ferait de la peine, une fois de plus sans la moindre trace d'un sentiment de culpabilité.

« Cet épisode suggère clairement qu'à cet âge le Christ était intérieurement détaché de ses parents humains sans éprouver aucune angoisse due à la peur, et qu'il s'en était détaché sans les rejeter pour autant[11]. »

C'est ainsi que par cette séparation, on peut appeler Marie « fille d'Abraham ». C'est-à-dire qu'elle renonce à tout esprit de domination ou de possession sur son fils; elle devient ainsi le modèle des mères qui, tout en aimant leurs enfants savent couper le cordon ombilical psychologique qui les relie à son autorité.

L'accaparement affectif est toujours quelque chose d'extrêmement subtil.

Quand la relation d'amitié ou d'accompagnement se situe dans le domaine religieux, le risque redouble puisqu'il devient lourd de la prétention mensongère de servir Dieu et de procurer la gloire. C'est dans ce cas que l'acceptation de la différence doit être la plus radicale; c'est là aussi qu'elle est

11. Op. cit., p. 22.

la plus douloureuse. Le père spirituel chrétien devrait toujours avoir pour modèle Jean-Baptiste. « Il faut que le Christ grandisse et que moi, je diminue », disait ce dernier.

« Combien de disputes, de ruptures entre pères et adolescents, trouvent là leur racine profonde? Ce père oublie qu'on ne fait pas un enfant pour soi, mais pour lui. Que l'enfant n'appartient à personne, sinon à lui-même et à Dieu. Et qu'il s'agit de l'éduquer, c'est-à-dire de le conduire dehors pour qu'il réalise son propre projet humain, son aventure nouvelle et imprévue[12]. »

Tant qu'un père physique ou un père spirituel n'a pas sacrifié son « Isaac », il se recherchera dans sa paternité ou sa soi-disant direction spirituelle. Celui qui veut trop diriger les autres, accompagner les autres, même sous des prétextes de charité et de spiritualité, devra d'abord, dans la lumière de l'Esprit Saint, regarder ses motivations profondes.

Seul celui qui est assez transparent pour s'ouvrir sans aucune cachette à un autre peut commencer à penser qu'il pourrait aider les autres dans leur cheminement[13].

Abraham, le vrai père

Abraham est celui qui ne dira plus possessivement: ma terre, mon père, ma mère, ma femme, ma sœur, mon fils. Il est pour nous l'exemple de la dépossession, l'exemple de

12. Philippe Ferlay, «*Dieu Trinité dans notre vie*», Nouvelle Cité, pp. 158-159.

13. D'après, Dominique Casera, pour devenir « aidant » il y a des contre-indications. Selon l'auteur, « ne doivent pas faire de l'aide pastorale thérapeutique:
— *Ceux qui ressentent un grand besoin de domination, ont des allures autoritaires ou dogmatiques;*
— *Ceux qui ont le culte de leur mission d'aidant, un culte qui les rend rigides et distants.*

Ces deux derniers traits, ajoute-t-il, *s'observent souvent chez des personnalités ecclésiastiques et représentent une déformation majeure de l'esprit évangélique. L'autoritarisme guette toujours l'agent de pastorale. Celui-ci se perçoit souvent comme occupant une position supérieure. Il devient la personne-ressource que le patient consulte, l'expert en crises. Il lui est difficile de descendre de son piédestal.* » Dominique Casera, « *À l'écoute de la désespérance* », Éditions Paulines, 1978.

la foi et du détachement. Il est le contraire du « paternaliste »

Il a vraiment écouté la voix de Dieu. Dieu dit alors à Abraham: « Parce que tu as écouté ma voix. » En ce sens, Abraham est alors à l'opposé d'Adam qui avait écouté la voix du serpent et voulu se faire Dieu.

Abraham est le modèle de l'obéissance et de la foi. Abraham redonne sens à la création en acceptant que Dieu seul soit Dieu et Père, et en s'abandonnant à lui dans la confiance et dans l'amour.

Non seulement Isaac vivra, mais il sera le premier d'une descendance destinée à peupler la terre. Abraham, en consentant à sacrifier son fils, ne s'est pas contenté, comme il l'a cru, de se conformer au commandement de Yahvé; son être entier a reproduit alors la paternité de Dieu qui n'est pas de l'ordre des procréations biologiques, mais qui passe par le don total de soi, par la dépossession. Aimer, c'est être pauvre et renoncer à la puissance sur l'autre.

Comme Dieu, Abraham a accepté de ne pas considérer son fils comme sa propriété. En se comportant ainsi, il inaugurait avec son fils des relations d'un nouvel ordre, analogues aux relations de Dieu avec l'humanité. Il devenait père selon Dieu, conforme à Dieu dans sa manière d'exercer la paternité. Abraham est le père des croyants, le vrai père, celui qui est réellement fécond parce que libre et détaché de lui-même. Il est pour nous un modèle. Il nous apprend par sa vie ce que sont la foi et la vraie paternité.

CHAPITRE III

Du refoulement à la transparence

« Nous condamnons les autres
parce que nous évitons
de nous reconnaître nous-mêmes. »

Saint Séraphin de Sarov

Dans la Bible, nous retrouvons cette idée qu'une partie de nous-mêmes, pouvant être en révolte contre la vie, contre les autres et contre Dieu, échappe à notre conscience. « Moi, Yahvé, qui sonde les cœurs et qui éprouve les reins... (Jr 17, 10) » « Car, c'est du dedans, du cœur des hommes que proviennent les pensées perverses... (Mc 7, 21). » Mais l'homme ne veut pas admettre que c'est de « son propre fond (Mt 15, 18-19) » que viennent toutes ces choses mauvaises que la Bible appelle péché.

La Bible nous propose d'être vrais jusque dans le tréfonds de notre être. Nous savons bien qu'un symptôme comme la fatigue ou le mal de tête est parfois dû à une violence contre la vérité; lorsque nous essayons, par exemple, de jouer le rôle d'un personnage que nous ne sommes pas en réalité.

« Depuis le début du monde, l'homme a peur d'avoir le cœur à nu et il se cache (Gn 3, 9-10). » Il dissimule ses joies, ses pulsions, ses émotions, ses colères. L'homme a peur de lui-même, des autres et de Dieu.

Pourtant, Dieu désire délivrer l'homme de la crainte, de l'anxiété. Les quelques 366 versets de la Bible contenant l'expression « ne crains pas... », n'en sont-ils pas la preuve? Il veut sécuriser l'homme et lui donner une foi vivante. « Je vous laisse la paix; c'est ma paix à moi que je vous donne... Que vos cœurs ne soient pris ni par l'émoi ni par la frayeur (Jn 14, 27). »

En fait, notre manière de voir la vie et de croire joue un rôle très important dans notre santé et notre équilibre. Un éminent médecin se faisait dire par le pathologiste de son hôpital que 75 % des admissions découlaient de mauvaises habitudes de penser et de vivre.

L'homme moderne souffre d'une maladie de l'âme, c'est sa conscience qui le ronge. Le vieux proverbe qui dit: « qu'une bonne conscience est le meilleur oreiller », est aujourd'hui confirmé par ceux qui passent leurs nuits sans dormir sur le dur oreiller du matérialisme et du plaisir pour le plaisir.

Comme Fulton Sheen l'écrivait si bien dans « La paix de l'âme »: « Une autre façon pour l'homme moderne d'échapper à sa conscience, c'est de la nier. Passer sa vie à sauver les apparences et nier la voix de sa conscience amène inévitablement des problèmes. »

« Quand un être n'est pas en paix avec lui-même, continue Fulton Sheen, rien ne fonctionne convenablement dans ses activités extérieures. Il y a aujourd'hui dans le monde des milliers de gens souffrant de crainte qui, en réalité, ne sont souvent que les conséquences de leurs vices cachés. »

Nous devons faire la lumière, marcher dans la lumière, mais nous préférons souvent les ténèbres.

Lumière et ténèbres

« Si nous marchons dans la lumière, comme il est lui-même dans la lumière (1 Jn 1, 7). »

La lumière éclaire et révèle, tandis que les ténèbres cachent. L'œuvre de la lumière consiste à nous révéler ce que nous sommes. « Tout ce qui est manifesté est lumière (Ép. 5, 13). » Mais tout ce que nous faisons ou disons (ce que nous taisons même) dans le but de cacher ce que nous sommes réellement, ressort des ténèbres.

Le premier résultat du péché en nous est toujours de cacher ce que nous sommes véritablement. Le péché nous conduit toujours à la cachette, à l'irréalité, à la comédie, à la duplicité, à soigner les apparences, à nous excuser et à mettre la faute sur les autres.

Aucun être humain n'aime toucher du doigt les puissances du mal et de la mort qui sont en lui. Nous voulons toujours paraître bons et parfaits, nous voulons nous croire justes et nous n'aimons pas avoir tort.

« La santé profonde ne vient-elle pas qu'en quittant nos illusions? Nous reconnaissons ainsi notre réalité humaine », de dire Jean Vanier. Il ajoute: « Je vous avoue que c'est seulement quand j'ai touché ma propre misère et mes espaces de haine que j'ai pu être touché par la miséricorde de Dieu et découvrir le mystère de Jésus qui vient guérir les cœurs et nous sauver. C'est alors seulement que j'ai pu toucher la misère des autres sans les écraser, avec un cœur de compassion. »

Jouer à l'innocent

Quand Jésus a prononcé la parabole du pharisien et du publicain, l'évangéliste nous dit qu'il avait « en vue certaines personnes se persuadant qu'elles étaient justes (Lc 18, 9). »

L'essence même du péché consiste à jouer à l'innocent, à nier nos torts, à rejeter nos responsabilités, à refouler notre culpabilité, à justifier notre conduite.

Comme nous nous dupons facilement ! Comme il est facile de refouler notre conscience et de l'étouffer ! Qu'il est difficile de sortir de notre pharisaïsme ! Combien de personnes croient vraiment être sincères, sans se rendre compte de la duplicité de leur pensée et de leur conduite ?

À la lumière de la psychanalyse, Érich Fromm démontre qu'une personne peut croire ce qu'elle dit tout en manifestant un manque de sincérité. « Une personne peut croire être mue par un sentiment de justice, alors que son mobile profond est la cruauté. Elle peut croire être motivée par l'amour et le don de soi et cependant être guidée par un besoin morbide de dépendance. Une personne peut croire qu'elle agit par devoir, alors que sa motivation est la vanité[1]. »

Maquiller son moi...

Le pharisien n'est pas conscient qu'il a refoulé son vrai moi. Pourtant, Jésus était conscient de ces choses : en effet, dans le Sermon sur la Montagne, il souligne qu'il est impossible d'être sauvé en se conformant à l'image idéalisée de soi (la justice des pharisiens). Face à la justice des pharisiens,

1. Érich Fromm, « *Psychoanalysis and religion* », Yale University Press, New Haven, p. 77.

Jésus souligne que l'accueil de Dieu ne dépend jamais de nos efforts de reproduction de l'image idéalisée; car ceux-ci s'accompagnent toujours de l'orgueil, de l'aliénation du « moi réel » et de Dieu, et de l'hypocrisie.

Au fond, nous sommes tous coupables de tentatives de maquillage et de dissimulation de notre « moi réel »; car nous voulons à tout prix que les autres nous identifient à notre image idéalisée, ainsi que le rappelle A.W. Tozer dans son commentaire sur la troisième béatitude, « Heureux les doux (humbles, dociles, vulnérables), car ils posséderont la terre »:

« Les doux seront guéris du fardeau de la simulation. . ., ce désir si fréquent de se montrer sous son meilleur jour et de dissimuler sa pauvreté intérieure à son entourage. . . Rares sont ceux qui ont le courage de n'être que ce qu'ils sont et qui ne cherchent pas à travestir la réalité. Les hommes craignent qu'on découvre qui ils sont vraiment et cette peur les ronge. . . [2] »

Selon les évangiles, les apôtres eux-mêmes tombèrent dans l'illusion de pouvoir se conformer à leur image idéalisée. Pierre, en faisant le serment de ne jamais abandonner le Seigneur, croyait sincèrement à sa promesse; mais elle reflétait en fait son image idéalisée d'homme fort et non son « moi réel ». Combien de personnes parlent constamment de « justice » et de « charité » pour masquer l'agressivité refoulée de leur moi réel. Elles sont toujours les victimes de quelque complot et n'osent pas regarder la responsabilité de leurs actes.

Quelle injustice?

Un certain nombre d'individus se disent souvent accablés par l'injustice. Voilà un mot à bannir de notre vocabulaire. Infailliblement, lorsque nous pénétrons dans l'existence de tels individus, nous constatons que ce sont des victimes

2. William Kirwan, « *Biblical Concepts for Christian Counselling* », Baker Book House, 1984, p. 219.

professionnelles. Ces personnes ignorent que leur comportement intérieur inconscient engendre les désordres extérieurs auxquels elles sont confrontées.

« Dans l'existence, il y a deux sortes d'individus : ceux qui se responsabilisent dans toutes leurs actions, dans ce qui leur arrive, ne laissant pas à d'autres la responsabilité de leur destin : et — malheureusement la plus nombreuse — tous ceux qui rejettent sur les autres, sur la fatalité, l'injustice et même sur Dieu, la responsabilité de leur destin[3]. »

Qui sommes-nous pour accuser les autres et nous réfugier dans notre supposée innocence ? Comme le dit si bien Michel Laroche : « Il n'y a pas, il n'y a jamais d'injustice pour un chrétien qui s'assume. Chaque difficulté extérieure n'est là, sur son chemin, que pour lui faire découvrir ses propres résistances intérieures[4]. »

« Les Pères rappellent la nécessité absolue de se responsabiliser dans les épreuves qui nous arrivent. D'où qu'elles viennent, l'homme spirituel sait que ces épreuves ne seraient pas venues sans que Dieu ne le permette et sans qu'une cause cachée en lui n'en soit, dans la finalité de sa purification spirituelle, le véritable motif[5]. »

Un masque de vertu

Plus l'homme est puissant et fort, moins il est accessible au dialogue ; trop sûr de lui, il se durcit toujours dans l'affrontement. Se croire innocent, avoir toujours raison, démontrer logiquement qu'on a raison ; c'est s'assurer la victoire, la puissance.

Pourquoi voyons-nous plus facilement la paille dans l'œil de nos frères plutôt que la poutre qui obstrue le nôtre ? Nous sommes moins clairvoyants pour nous-mêmes que pour les autres. Le pharisien juge les autres sur leurs actes ; mais il se juge sur ses intentions qui, comme par hasard, sont

3. Michel Laroche, « *Sur la terre comme au ciel* », Nouvelle Cité, p. 89.
4. Ibid., p. 87.
5. Idem

toujours justes et bonnes. Les autres sont jaloux de lui, mais pas lui des autres. Les autres sont injustes envers lui, mais pas lui envers les autres. Lui, il n'a rien à se reprocher. Il fait toujours la volonté de Dieu et cache ses motivations inconscientes sous des thèmes spirituels. Il se croit innocent.

Personne n'est innocent! Jésus refuse ces subtiles distinctions que nous faisons pour séparer les hommes en deux camps: les innocents et les condamnés. Il affirme que tous les hommes sont pareils. Nous n'appartenons pas au camp des innocents et nous ne pouvons condamner les autres.

Porter un masque de vertu fait de nous des hypocrites. Le danger de l'hypocrisie nous guette surtout lorsque nous rejetons nos limites et que nous nous persuadons de montrer notre vraie personnalité aux autres.

La vérité sur nous-mêmes

Le premier pas que nous devons faire pour être sincères avec nous-mêmes, c'est d'accepter la vérité sur nous-mêmes. La plupart de nos dépressions découlent de la tentation de réprimer les erreurs que nous avons faites dans l'inconscient et de tout faire pour oublier. Ce refus, même inconscient, d'accepter la vérité sur nous-mêmes, pour nous cacher derrière un personnage, tient de la malhonnêteté. C'est une tentative de jouer au martyr et à l'innocent. Plutôt que d'avouer nos faiblesses, nous cherchons subtilement à dominer les autres par une sorte de fausse bonté remplie d'agressivité refoulée.

L'agressivité refoulée a des répercussions sur notre santé physique. Nous pourrions prendre plusieurs exemples et constater, *tout en prenant garde de généraliser*, qu'une partie importante de nos maladies sont d'ordre psychosomatique.

Même si les médecins ne sont pas tous d'accord sur la cause exacte des rhumatismes chroniques, il y a suffisamment de preuves cliniques qui permettent d'affirmer que l'hostilité refoulée produit souvent l'arthrite. Plusieurs patients souffrant d'arthrite dégagent un extérieur calme et doux. Souvent, ils ne savent pas que dans leur inconscient, il y a toujours eu de l'hostilité qu'ils ont appris à réprimer très tôt dans leur vie.

Dans son livre sur la médecine psychosomatique, Frans Alexander rend compte d'une étude scientifique faite auprès de certaines personnes souffrant d'arthrite rhumatismale. Il explique: « Ces malades, en général, montrent un grand contrôle de leurs expressions émotionnelles. En plus de leurs tendances à contrôler leurs sentiments, ils sont portés également à contrôler leur entourage en se dépensant pour lui. Ces malades sont généralement exigeants envers leurs proches et font beaucoup de sacrifices pour eux. Mais il s'agit d'un type de bonté écrasante, d'un mélange de tendances à dominer et d'un besoin masochiste de servir les autres. »

Un besoin de dominer et de posséder peut se cacher sous l'apparence d'un amour ardent, ce qui est proprement de l'agressivité en soi.

Paul Tournier écrit: « Ces êtres se déclarent sincèrement aimants et pacifiques; tant qu'ils ont régné, en effet, sans conteste sur leur entourage. Et ils affirment ingénuement que la paix aurait duré longtemps encore si quelque fauteur de désordre n'était pas venu s'opposer à leur volonté souveraine. »

Ces personnes qui paraissent si aimables, si serviables, dominent souvent par l'admiration qu'elles suscitent, par l'ascendant de leur perfection. Rien ne les fortifie plus que de se voir prises pour modèle[6].

6. « Lorsque quelqu'un est attaché à l'argent, il le sait généralement et tenterait plutôt de s'en cacher. Lorsqu'il est habité par un besoin de jouissance sensuelle, il a conscience de ses pulsions et il lui arrive de les enrober de comportements qui peuvent donner le change. Mais lorsqu'il est poussé par le désir de *dominer*, il lui suffit d'utiliser, pour le satisfaire, ses plus nobles dons. Le dévouement est une grande chose, le zèle aussi. Or le dévouement et le zèle ont parfois abrité de leurs généreux manteaux une course effrénée au pouvoir. » Gaston Piétré, « *L'Heure du Choix* », Desclée de Brouwer, 1989, p. 147.

Une harmonie parfaite?

Quand suis-je authentique et quand ne le suis-je pas? Comme Socrate l'a démontré, on ne peut jamais se connaître totalement soi-même. Mais on peut s'approcher de cette connaissance dans la mesure où l'on accepte de se reconnaître contradictoire. Il y a toujours du blanc dans le noir de notre vie et il y a toujours du noir dans le blanc. D'ailleurs les êtres trop «parfaits» écrasent souvent les autres sans le vouloir.

Paul Tournier explique ainsi l'influence du chef trop vénéré sur les personnes qui l'entourent: «Même le plus saint homme, le plus dévoué, le plus humble, le chef vénéré, par exemple d'une congrégation dont les membres lui portent tous une dévotion et une affection immenses. Voyez combien les autres sont dépendants de lui comme de petits enfants. Ce sont ses qualités même et non pas ses défauts, sa notoriété, sa richesse d'âme qui les tiennent en minorité. Il les engage à prendre plus d'initiative, mais en vain. Ils n'en prendront que lorsque lui-même aura quitté son poste. Ainsi de petits arbres poussent mal quand ils sont trop près d'un grand. Pensez alors quand il s'agit d'un homme d'affaires actif, entreprenant, dynamique. Tout le monde est à son service, ses collaborateurs, sa famille, tous collaborent avec zèle et avec joie, tant c'est une aventure passionnante d'entrer dans son sillage. Mais, précisément, c'est son sillage à lui, et personne ne peut faire le sien à côté de lui[7].»

C'est lorsqu'une crise éclate qu'on peut voir tout à coup la domination inconsciente et l'agressivité qui se cachait sous l'apparence d'une harmonie parfaite dans une famille ou un groupe.

7. Paul Tournier, «*Violence et Puissance*», Éd. Delachaux et Nestlé, p. 47.

Le refus de l'honnêteté

Le côté pharisien qui nous habite, nous porte à nous reconnaître justes. Nous ne voulons pas accepter de nous être trompés, accepter parfois d'avoir été orgueilleux et jaloux. Nous préférons parfois cacher notre volonté sous le couvert de l'incompréhension des autres ou même du bien que nous voudrions leur faire.

Untel se croit pur et juste parce qu'il a peur de l'angoisse que lui révélerait sa culpabilité refoulée. Il a besoin de se dire et de se redire qu'il ne s'est pas trompé. Il a peur de s'avouer coupable et, plus il a peur, plus il doit se montrer fort.

Karen Horney écrit à ce sujet: « Plus désespérément un homme se sent pris au piège de ses peurs et de ses mécanismes de défense, plus il lui faut s'accrocher à l'illusion d'avoir raison, d'être absolument parfait et rejeter instinctivement toute allusion fut-elle indirecte ou implicite, à quelque chose de mauvais en lui et au besoin de s'en défaire[8]. »

Un psychanalyste disait dans un conférence: « Une personne qui blâme toujours les autres pour ses problèmes et ses souffrances n'a presque pas de chance de guérison. » Tant que nous blâmerons les autres ou les circonstances et que nous jouerons à l'innocent ou à la victime, nous ne guérirons jamais.

Nous croire innocents et blâmer les autres pour nos problèmes est quelque chose de très humain. Souvenons-nous d'Adam et Ève, au début de la Bible. Adam dit: « Ce

8. « La peur d'être démasqué en est une. Cette peur symbolise la puissance de l'identification de l'individu à son masque social, à sa personne. À force de s'obliger à plaire et à sourire, des sentiments négatifs et agressifs à l'égard d'autrui l'envahissent, sentiments qu'il n'ose, et bien souvent, ne peut dévoiler. C'est pourquoi de telles personnalités s'avèrent tellement sensibles à la critique. La critique négative a le pouvoir de leur faire perdre en quelques secondes leur estime d'eux-mêmes et de les déséquilibrer pour plusieurs jours. La peur du jugement néfaste est le talon d'Achille des héros. » Guy Corneau, « *Père manquant, fils manqué* », Éd. de l'Homme, p. 49 et 52.

n'est pas ma faute, c'est la femme. » Il se dit innocent et une pauvre victime. Et quelle est l'explication d'Ève? « Ce n'est pas ma faute, c'est le serpent », dira-t-elle.

Le vrai péché qui date des origines, consiste à ne pas nous reconnaître pécheurs et à toujours blâmer les autres ou les circonstances au lieu d'avouer nos péchés. Nous passons une partie de notre vie à nous défendre, à porter nos masques et à essayer de nous justifier en jouant à l'innocent.

Au service des autres

Les êtres les plus dominateurs se révèlent souvent les plus inquiets de leur propre personne. Ils cherchent à prendre le contrôle de la vie des autres parce qu'ils manquent précisément de contrôle sur leur propre vie.

Nous avons tous besoin d'être purifiés dans nos prétentions à nous croire des personnes généreuses au service des autres. Comme le dit si bien le psychanalyste Henri Samson: « On voit beaucoup d'illusions se glisser dans ce qui semble un vrai désir de vie intérieure. On peut entretenir de la satisfaction de soi-même tout en pensant faire du bien. On peut couvrir son goût de dominer du nom d'apostolat.

« On parle alors de la tentation de faire du bien. Sous cette tendance, on peut glisser tous ses appétits de domination. Celui à qui l'on fait du bien est réduit ou voué à être subalterne. On peut glisser beaucoup de ses travers sous cette passion de faire du bien. On peut également en faire une façon de s'insinuer partout, de se donner de l'importance, de favoriser son moi, de se donner l'illusion du pouvoir, de s'introduire dans des postes plus importants, de diriger sous l'apparence de servir. »

Juger les autres

Puisqu'une personne atteinte de sentiments de culpabilité craint d'être critiquée et blâmée, elle va tout faire pour ne pas l'être. Elle développera un comportement qui la mettra à l'abri de toute critique, dont l'angoisse de se sentir coupable. La personne essaie alors de se montrer aux yeux des autres sous un aspect tellement parfait qu'elle en devient inattaquable. Inconsciemment, elle se dit: « À aucun prix, je ne veux être démasquée. Si je suis démasquée, on va me voir telle que je suis, on ne m'aimera plus, on me rejettera. » Et le raisonnement continue: « Je dois me montrer sous un aspect tel qu'il devienne impossible de me critiquer. »

« Un névrosé par sentiment d'infériorité tournera toujours autour des points suivants: besoin de domination; besoin de puissance; de force; de supériorité; d'admiration. Ces besoins proviennent de sentiments d'impuissance et de faiblesse. Donc, ce névrosé fera tout pour empêcher ce qui, pour lui, ressemble à une faiblesse.

« Par exemple, il refuse farouchement d'accepter un conseil. Il refuse de n'avoir pas raison. Il ne supporte pas la critique, etc. Pourquoi? Toutes ces actions sont cependant le signe qu'il a besoin d'être un soutien. Il se sent humilié et agressif si on ne fait pas appel à lui. Il ne conçoit pas « être l'égal » de quelqu'un. Ou bien il se sent inférieur, ou bien il se croit supérieur[9]. »

Le pharisien éprouve le besoin de montrer les autres du doigt et de rationaliser ses erreurs, car il se sent souvent angoissé et inférieur. Extérieurement, il semble puissant, dominateur, sûr de lui. Il peut paraître très bon, donnant tout, se saignant aux quatre veines pour les autres, ne refusant rien. Intérieurement, il a toujours peur de se tromper, il se sent inférieur et impuissant, il est peu sûr de lui et il éprouve des sentiments de peur, d'hostilité et de culpabilité.

9. Pierre Daco, « *Les prodigieuses victoires de la psychologie moderne* », Marabout, pp. 206-207.

Qui est sincère?

L'Évangile pardonne à ceux qui se reconnaissent coupables; tandis qu'il éveille, au contraire, la conscience d'être coupables chez ceux qui se flattent de ne pas l'être.

Qui est sincère? Qui n'est pas un peu pharisien? Si la Bible se veut notre miroir, nous devons avoir le courage de nous voir personnellement dans la peau du pharisien. En fait, la personne qui accuse toujours les autres de manquer à la charité et de ne pas être sincères, est peut-être la moins sincère de toutes. «La vraie sincérité consiste surtout à s'avouer qu'on en manque», disait Paul Tournier.

Nous ne voulons pas enlever notre masque. Plus nous jouons à l'innocent et plus nous nous identifions à notre masque ou aux rôles que nous jouons, plus nous refoulons notre conscience.

Au lieu de confesser nos péchés, nous préférons les réprimer et refouler notre culpabilité. La répression est le contraire de la confession et, est souvent le résultat d'un manque d'honnêteté et de sincérité envers nous-mêmes. Nous préférons alors dire que les autres ne sont pas sincères et honnêtes pour ne pas nous confronter à notre hypocrisie et à notre malhonnêteté. Au lieu d'accepter simplement nos erreurs et nos péchés, nous préférons les réprimer. Nous nous disons innocents et rejetons nos propres défauts sur les autres. Nous nous servons même de notre raison et de notre intelligence pour nous persuader que nous avons raison.

Au lieu d'accepter notre culpabilité et notre responsabilité, nous préférons nous cacher sous des mots pieux. Nous nous scandalisons des péchés sexuels d'un autre, pour ne pas voir l'orgueil, la haine et la jalousie dans notre propre cœur.

Le renversement des valeurs

Dans l'épisode de la femme adultère de l'Évangile, Jésus ne nie pas la culpabilité de la femme, mais il ne la condamne pas. Auparavant, aux accusateurs de cette femme, il avait adressé une autre parole, propre à réveiller leur culpabilité refoulée: « Que celui qui est sans péché jette le premier la pierre contre elle. » Il n'y a plus devant Jésus deux catégories humaines: l'une coupable et l'autre juste. Il ne reste que des coupables. La femme à laquelle Jésus apporte le pardon de Dieu, et ces hommes, qui reconnaissent enfin leur culpabilité en se retirant sur la pointe des pieds, appartiennent à la catégorie des coupables.

Tel est donc ce grand renversement que le récit de la femme adultère met en lumière de façon saisissante, mais qui se retrouve dans la Bible tout entière. En termes psychologiques, nous pourrions le formuler ainsi: « Dieu efface la culpabilité consciente, et rend consciente la culpabilité refoulée ».

L'aveu de la confession

Certes, il est difficile et humiliant d'avouer nos fautes en allant jusqu'à leurs racines. C'est cependant le chemin qui conduit à la libération et à la paix du cœur. Le Père Bernard Bro disait clairement: « Il n'y a pas de salut sans libération, mais il n'y a pas de libération sans aveu et il n'y a pas d'aveu sans qu'on ne s'écroule. »

Écoutons ce que disait Jean-Paul II à un groupe d'évêques: « Le lien entre aveu et pardon, déjà inscrit dans la nature des choses, tient en effet à l'essentiel du sacrement. Je ne saurais donc assez insister sur la nécessité de cet aveu personnel des fautes graves suivi de l'absolution individuelle. Le peuple de Dieu n'est pas un troupeau uniforme: chacun de ses membres est un être unique devant Dieu; il l'est aussi devant son pasteur qui est, pour chaque fidèle, père, maître et juge de la part de Dieu. »

Le Père Bro dans « Le secret de la confession » écrit encore: « On peut faire comme si le problème de l'aveu n'existait plus. Mais il existe. Et l'esquiver est une trahison dans la mesure même où la restauration de notre dignité est liée pour chacun à la béatitude de reconnaître notre vraie culpabilité. Ceux qui mettent de côté l'aveu sous prétexte de renouvellement de la confession se trompent. »

Pour avouer, nous devons nous reconnaître faibles et pécheurs. Pour nous révéler à autrui, il faut vraiment lui déclarer que nous l'aimons et que nous nous reconnaissons faibles, impuissants, coupables. Le puissant ignore l'amour et il ignore l'aveu parce qu'il ne connaît pas la culpabilité. Être puissant, c'est s'imaginer innocent, donc supérieur.

Le Père Bro ajoute: « Que voudrait dire une confession, une absolution qui serait sans déchirement, sans humiliation et sans aveu? »

Il s'agit de se durcir ou de s'écrouler

L'aveu, c'est un écroulement. Quiconque retient volontairement quelque chose qu'il sait être grave ne s'écroule pas. C'est tout. Si l'on retient en dedans de soi quelque chose parce que cela nous semble humiliant ou trop difficile à dire, alors, on ne s'écroule pas, et l'on ne connaît pas vraiment la béatitude et la joie du pardon.

Tout aveu trop vague, tout aveu trop général qui n'humilie pas est souvent plus une excuse qu'un véritable aveu. Et c'est pour cela qu'il n'y a plus de joie.

L'inverse de la confession est bien l'enfer. Nous en avons rappelé la définition: « Je m'appartiendrai. » Et pour nous appartenir, nous mentons. Nous ne voulons pas avouer nos fautes. Tous les mensonges deviennent bons, légitimes, désirables; il nous faut nous appartenir et nous durcir.

Dieu nous attend dans la confession. Il nous propose de nous désarmer: « Veux-tu? Veux-tu accepter de ne pas te mentir? »

Avouer, nous écrouler; c'est renoncer à nous-mêmes. Nous voulons nous justifier, nous ne voulons pas nous écrouler. Nous excusons nos fautes sous toutes sortes de prétextes.

Nous possédons cette fantastique capacité de nous durcir et de nous mentir à nous-mêmes. Il y a ce point secret, préservé, réservé où, en regardant notre passé, nous avons le pouvoir de dire non et cela, avec toutes les justifications possibles. Nous sommes tellement pleins de notre mérite et de notre dignité qu'au lieu d'avouer, nous nous retirons dans une solitude farouche. Plutôt souffrir que de nous écrouler. Plutôt souffrir que de demander pardon.

Un jour, le Père Bro questionna des religieuses cloîtrées sur le mystère du mal et du péché dans leur vie. L'une d'elles s'en explique très bien: « Un jour, je me suis heurtée au péché dans toute sa nudité. La question de pardonner s'est posée nette. C'est le fait même de pardonner qui me révoltait: consentir à tout oublier, à n'avoir plus jamais rien sur le cœur. Dieu me montrait clairement, jusqu'où il voulait que j'aille, et que je consente librement à aller jusque là. Tout mon être répondait non. La pensée du oui m'était intolérable. C'était perdre ma dignité. Alors j'ai compris presque physiquement ce qu'était le péché: dire non à Dieu. Je côtoyais alors l'enfer, mais je préférais l'enfer plutôt que de dire oui et de m'écrouler. Et cette petite phrase dansait devant moi: « Aimez vos ennemis... » Alors, j'ai dit oui consciemment, À cette heure-là, qui n'a pas été longue, je l'ai choisi, lui, Dieu, contre moi, car j'avais l'impression qu'en disant oui, je me noyais, que je renonçais à être moi. »

L'acte de se confesser est bien souvent accablant. Inutile de se le cacher. Mais c'est précisément cette peine qui a une grande valeur. Cette souffrance, cette peine de nous voir orgueilleux, impurs, jaloux, égoïstes; cette humiliation de nous avouer misérables et pécheurs, nous porte à regretter notre passé.

Dans l'Osservatore Romano du 2 août 1983, le Cardinal Danneels, archevêque de Maline, écrivait un article intitulé: « La valeur anthropologique de l'aveu ». Il déclare: « C'est quand on prend la faute sur ses lèvres pour la dire qu'on la connaît. Avant l'aveu, on portait sa faute en soi: maintenant, on la voit hors de soi — ce qu'il y a de mal en elle nous inspire une certaine répugnance, un désir d'éloignement... L'aveu pousse à l'humilité et à toutes les richesses spirituelles qu'apporte cette vertu. »

Pendant que plusieurs de nos frères protestants redécouvrent le sens de l'aveu explicite de leurs péchés, une partie des catholiques le mettent de côté. N'est-ce pas étrange?

Lisons ces paroles: « Il y a dans notre monde moderne, un grand nombre d'hommes et de femmes à la recherche d'un confesseur, surtout dans les régions protestantes ou la confession concrète est trop peu pratiquée. On lira avec intérêt l'étude du Dr Joseph Miller sur les rapports entre la confession catholique et la psychothérapie. Tout confirme ce que la Bible nous dit: que la confession et la repentance sont les démarches les plus nécessaires à la santé de l'âme. La Bible nous apporte l'assurance du pardon, que le Curé d'Ars, ce grand confesseur, recommandait si fortement. »

Qui parle ainsi? Et bien ce n'est pas un prêtre catholique, mais un pschanalyste protestant, le docteur Paul Tournier dans son volume intitulé: « La Bible et la médecine ».

Pharisien ou publicain? Il y a en nous un peu des deux, et souvent beaucoup de pharisaïsme inconscient. Comme le dit si bien Philbert Avril: « Quand nous ne pouvons supporter notre angoisse et notre culpabilité, nous essayons de nous libérer en les reportant sur notre entourage. Nous l'accusons d'être la cause de notre malheur, soit à titre personnel, soit en tant qu'il représente une organisation considérée comme funeste. Davantage, nous allons jusqu'à reprocher à Dieu lui-même de nous avoir mis dans une situation ressentie au début comme bonne et vécue maintenant comme pénible.

« Ainsi, l'homme pécheur a-t-il tendance à nier spontanément qu'il fait fausse route. Déraciné, coupé en deux, enfermé dans la morbidité de son malheur, il accentue forcément les faiblesses, les limites et les imperfections des autres, leur prête gratuitement des intentions perverses à son égard et les suspecte finalement d'être directement ou indirectement à l'origine de son infortune[10]. »

« Au fond, dira encore Michel Laroche, il y a deux catégories d'êtres dans l'existence: les victimes professionnelles et les responsables, c'est-à-dire ceux qui se responsabilisent. Les premiers attribuent tous leurs malheurs, toutes leurs épreuves au monde entier. Ils sont irresponsables par rapport à leur existence.

« Les seconds, loin d'attribuer les difficultés extérieures qu'ils rencontrent dans leur existence à la malchance, aux autres, à l'inexorable fatalité, se retournent intérieurement vers eux-mêmes, et se blâment eux-mêmes[11]. »

Celui qui, cessant de voir la paille dans l'œil de son frère, découvre la poutre dans son œil, s'attribue, selon les Pères de l'Église, toute la responsabilité de ce qui lui arrive. Ainsi, même s'il y a eu envers eux une réelle injustice, celui-là, en tirant parti de l'occasion, découvrira dans la prière ce qu'il y a en lui d'injuste et de ténèbres, et la lumière de l'Esprit Saint dissipera ces ténèbres pour illuminer totalement son être.

Comme le dit si bien Maxime le Confesseur: « Lorsque l'épreuve arrive sur soi à l'improviste, il ne faut pas s'en prendre à celui par qui elle vient. Tout ceci est la volonté de Dieu. Ces attaques ont souvent pour but de purifier l'âme des fautes passées qui ont laissé des blessures spirituelles. L'homme avisé reçoit avec reconnaissance ces épreuves, en s'en attribuant la responsabilité, car elles n'ont pas d'autres causes que ses péchés à lui. Mais, l'insensé, qui ne sait rien de la très sage Providence divine, s'en prend à Dieu, ou à son prochain, des maux qu'il endure[12]. »

En fait, comme le dit Jésus, nous ne voulons pas voir notre « poutre » et admettre nos responsabilités; et nous passons notre temps à juger les intentions des autres et à chercher la « paille » dans l'œil de nos frères.

10. Philbert Avril, « *Délivre-nous du mal* », Cerf, 1981.
11. Michel Laroche, « *Une seule chair* », Nouvelle Cité, p. 63.
12. Maxime le Confesseur, « *II Centurie sur l'Amour* », n° 42.

Voir notre poutre, c'est nous accepter pauvres comme notre frère et apprendre à pardonner; c'est pouvoir appeler «frères» ceux qui nous ont fait du mal, même les plus méchants. En fait, c'est de gracier les autres, c'est-à-dire imiter Dieu en donnant gratuitement, en remettant les dettes, en pardonnant les offenses, sans subordonner notre attitude à celle de l'autre, sans faire comme les païens et les publicains.

Si nous voulons être pardonnés par le Père, nous devons voir la poutre qui obstrue notre œil, nous devons prendre les attitudes du Père, car lui fait pleuvoir et briller son soleil sur les bons comme sur les méchants.

Dieu nous demande d'aimer nos ennemis; c'est-à-dire de les traiter en amis, de leur faire du bien et de leur prêter sans rien attendre en retour.

«Et vous serez fils du Très-Haut, parce qu'il est bon pour les ingrats et les méchants (Lc 6, 35).»

«Dieu aime ses ennemis, il fait du bien à ceux qui le haïssent. Il bénit ceux qui le maudissent et il prie pour ceux qui le calomnient ou le persécutent (Lc 6, 27).»

Le péché du publicain qui reconnaît sa faiblesse, sa pauvreté, et implore la miséricorde de Dieu, est plus pardonnable que celui du pharisien orgueilleux qui ne voit pas la poutre qui diminue sa vue.

Passer du cœur de pierre au cœur de chair est parfois un long et douloureux cheminement. Ce cheminement fera en sorte que notre œil se débarrasse peu à peu de la poutre qui lui obstrue la vue. Le champ de vision de l'œil sera élargi. Vision intérieure d'abord, suivie d'une vision extérieure, éclairée et pacifiée.

CHAPITRE IV

Du combat de la vie à l'acceptation

« Le plus grand explorateur
ne fait pas d'aussi longs voyages
que celui qui descend
au fond de son cœur. »

Julien Green

Notre vie est un combat et une suite de crises. Au commencement même de notre vie, il existe en nous ce que j'appellerais une « structure pascale » (mort-résurrection): il s'agit de renoncer pour trouver, de mourir à quelque chose pour revivre.

Toute crise est douloureuse, car elle implique un changement. Changer, nous le savons bien, c'est abandonner ce que nous avons ou ce que nous sommes. C'est s'arracher à ce qui nous tient et quitter ce que nous connaissons pour aller vers ce que nous ignorons. Pour certains, la crainte devant l'inconnu peut devenir angoissante. Que de personnes préfèrent être « second » plutôt que vivre l'angoisse de la responsabilité de se prendre en main et d'avoir des responsabilités en étant « premier »! Que de personnes préfèrent être dominées et garder la sécurité plutôt que de foncer tout seul vers l'inconnu!

Remarquons que dans toutes les crises de la vie, nous rencontrons trois facettes qui se commandent l'une l'autre: l'élargissement des horizons, le progrès personnel et l'abandon des cadres familiers.

Il en va de même dans la vie spirituelle et la croissance. La vie intérieure est une vie et, sur le plan qui lui est propre, elle obéit aux lois de toute vie.

Le but de Dieu, c'est de faire grandir les âmes; de les amener à la perfection de leur âge adulte. Il s'y prendra, d'une certaine façon, de la même manière que l'éducateur humain. À un moment donné, il poussera l'âme à s'engager dans une nouvelle étape, à franchir un nouveau seuil de son itinéraire spirituel, donc à progresser. Mais, ici aussi, comme dans la vie humaine, le changement aura le caractère d'une crise.

S'aventurer vers l'inconnu

Pendant des années, l'âme s'était habituée à des horizons qui lui étaient devenus familiers et s'était attachée à eux. C'était, par exemple, une certaine manière de voir les choses de Dieu, de comprendre une spiritualité. C'était peut-être un attachement trop sensible à un conseiller spirituel ou à un groupe à qui l'on s'était comme fusionné. Pour grandir, il faut, dans une certaine mesure, abandonner tout cela et, en l'abandonnant, se quitter soi-même pour s'aventurer dans un monde inconnu et parfois angoissant. C'est un combat spirituel où l'on se retrouve seul et souvent inquiet.

Ici aussi, sur le plan spirituel, nous retrouvons toujours les trois éléments de toute crise de la vie humaine: l'abandon des cadres familiers, l'élargissement des horizons et le progrès personnel.

Mourir pour vivre

Maintenant, regardons la vie du patriarche Jacob, petit-fils d'Abraham, que la Bible nous raconte à partir du chapitre 25 dans le livre de la Genèse et qui occupe le reste de ce livre.

Jacob apprendra par les événements de sa vie ce que nous devrons apprendre pour devenir également de vrais disciples de Jésus-Christ. Pour revivre de la vie de Dieu, il faut passer par plusieurs crises et mourir à soi-même. Jacob nous ressemble. D'abord, il s'était fait lui-même et il faudra que Dieu « lutte avec lui » pour qu'il accepte sa pauvreté et qu'il s'abandonne vraiment.

Ne pas fuir sa pauvreté

La pédagogie de Dieu consiste à nous faire toucher à notre pauvreté. La pédagogie de Dieu veut nous « décaper » afin que nous ne vivions plus dans l'illusion sur nous-mêmes, et que nous soyons réalistes sur nous-mêmes.

Au fond, ce que nous fuyons le plus; c'est notre pauvreté. La nature humaine est telle que nous pouvons, durant des années, élever des barrières qui nous empêchent de voir nos blessures et nos ténèbres.

Nous pouvons tous vivre dans l'illusion, en nous croyant bien, donc confortables et satisfaits de nous-mêmes. Nous avons terriblement peur de la vérité sur nous. Je dirais que toute la pédagogie de Dieu repose sur des événements qui peuvent être l'échec, les conflits, et même le péché, qui nous font découvrir qui nous sommes vraiment: qui nous sommes avec ce qu'il y a de beau, de bon en nous; mais aussi avec tout ce qui se veut égoïsme, peur, jalousie, préjugé, orgueil, angoisse, haine, agressivité. Voilà la pédagogie de Dieu: une purification et un appauvrissement pour nous faire découvrir qui nous sommes.

Cette découverte est difficile. Pourtant, toute la pédagogie de Dieu consiste à nous faire découvrir et expérimenter que nous sommes pauvres et de plus en plus fragiles. Cela nous angoisse. Bien des gens disent que la paix est la chose centrale dans le discernement pour savoir si l'Esprit Saint agit. Cela est vrai, mais seulement d'une certaine façon; comme l'affirme saint Ignace, il y a aussi de fausses paix, des paix que nous cultivons parce que nous ne voulons pas regarder la vérité sur nous-mêmes et parce que nous ne voulons pas prendre telle ou telle décision qui nous jetterait dans une certaine insécurité, loin des cadres familiers.

Si nous avons peur d'aller voir nos ténèbres intérieures, nous les écartons; car cela nous mène à l'angoisse et nous ne voulons pas lui faire face. Alors nous cherchons une fausse paix et nous pouvons même penser que notre décision est bonne puisque nous avions la paix. Mais le chemin angoissant de l'insécurité, du détachement et de la coupure n'est-il pas la voie de la volonté de Dieu sur nous, même si cette idée nous angoisse? Nous ne pouvons pas avancer spirituellement sans passer par une certaine angoisse, par une prise de conscience de nos attaches et de nos blessures.

Le tricheur

Le nom de Jacob voulait dire: tricheur, supplanteur, acteur, hypocrite. Dieu prendra des années de purification et de combats pour changer ce nom en celui d'Israël qui veut dire: « Prince avec Dieu ».

L'application de la vie de Jacob pour nous est évidente: Dieu lutte avec le petit Jacob qu'il y a en nous. Dieu lutte avec le tricheur, l'hypocrite, le fort, le supplanteur qu'il y a en nous. En nous, Dieu veut changer le « Jacob » en « Israël ». Il veut que ce soit « son enfant » qui vive en nous, non pas le tricheur, mais le « prince avec Dieu ». Car, de par notre baptême, nous sommes fils et fille de Dieu, frère et sœur du Christ: des temples vivants de l'Esprit Saint.

Pourquoi lui?

Le fait que Dieu a choisi Jacob avant sa naissance devrait nous faire réfléchir. Pourquoi lui? C'est le mystère du choix gratuit, de l'amour gratuit, de l'élection. Dieu a un plan pour nous, mais ce n'est pas un plan qui se réalise d'un coup. C'est une lutte d'amour.

En regardant Jacob, nous voyons que c'est un homme avec des faiblesses et des défauts comme nous, et j'ajouterais de grands défauts. C'est un tricheur, un rusé. Il vola la bénédiction de son père Isaac en étant hypocrite et en se faisant passer pour son frère, Ésaüe. Plus tard, il s'enrichira aux dépens de son beau-père, Laban, avec une histoire trouble de brebis.

Malgré ses défauts et sa ruse, Jacob est aimé de Dieu, choisi par Dieu. Lui aussi avait reçu comme son grand-père la promesse de Yahvé. Et nous pourrions nous dire: « Si Jacob avec ses défauts a été choisi par Dieu, pourquoi pas nous? » Nous sommes bien de la même race que lui, si peu dignes: peut-être tricheurs, rusés, menteurs et hypocrites comme lui?

Les deux rencontres

Toute la vie de Jacob est contenue entre deux rencontres qu'il a avec Dieu en vingt ans. La première rencontre avec

Dieu se situe à la fin de la crise de l'adolescence, c'est-à-dire durant la jeunesse. La deuxième rencontre a lieu autour de la quarantaine, c'est-à-dire au moment de la crise du milieu de la vie. Et, durant ces deux rencontres avec Dieu et ces deux crises, Jacob se retrouve seul.

Nous pouvons lire la première rencontre dans la Genèse au chapitre 28, versets 12 à 15: « Voici qu'une échelle était plantée en terre et que son sommet atteignait le ciel et des anges de Dieu y montaient et descendaient. Voici que Yahvé se tenait devant lui et dit: « Je suis Yahvé, le Dieu d'Abra- « ham ton ancêtre et le Dieu d'Isaac. La terre sur laquelle « tu es couché, je te la donne à toi et ta descendance. Ta « descendance deviendra nombreuse comme la poussière du « sol, tu déborderas à l'occident et à l'orient, au septentrion « et au midi, et toutes les nations du monde se béniront par « toi et par ta descendance. Je suis avec toi et je te garderai « partout où tu iras. »

Malgré ses défauts, ses faiblesses et tout ce qui lui arrive; Jacob s'accrochera toute sa vie à cette promesse de Dieu.

Le combat final

Vingt ans après cette promesse, Dieu va, encore une fois, l'acculer au mur et le purifier à fond. Ce sera le combat final, la conversion définitive qui coïncidera avec la crise du milieu de la vie.

Jacob est maintenant fort: il a des enfants et possède des troupeaux. Il doit alors traverser la redoutable épreuve de l'âge mûr. Il y a vingt ans, lors de la première rencontre, il ne possédait rien et il avait tout à gagner: il n'avait qu'un bâton. Au milieu de sa vie, dans la quarantaine avancée, Jacob a tout à perdre. À ce moment, comme il ressemble à plusieurs d'entre nous!

Parfois, nous nous croyons trop forts; nous nous pensons inattaquables, et voilà que l'angoisse et la peur s'abattent sur nous. Nous ne sommes plus sûrs de nous et le combat commence en nous-mêmes.

« Jacob resta seul... quand un inconnu entra en lutte avec lui. Il lutta avec lui jusqu'à l'aurore. Voyant qu'il ne pouvait pas le vaincre, il le frappa au creux de la hanche, et le creux de la hanche de Jacob se déboîta au cours de la lutte avec lui. « Laisse-moi partir, dit-il, car l'aurore monte. » Et Jacob lui dit : « Je ne te laisserai pas partir, que si tu me « bénis. » « Quel est ton nom » reprit-il. Il répondit : « Jacob ». « On ne t'appellera plus Jacob, dit-il, mais Israël, car tu as « lutté avec Dieu et avec les hommes et tu l'as emporté. » Jacob lui demanda : « Fais-moi connaître ton nom, je t'en « prie. » « Pourquoi me demandes-tu mon nom ? », répondit-il. Et il le bénit à cet endroit (Gn 32, 25-30). »

Jacob resta seul

Dans le combat de Jacob, nous découvrons plusieurs traits qui concernent tout homme et toute femme.

« Et Jacob resta seul... » Lorsque l'enfant grandit, arrive un moment où il dit avec vigueur : « Moi, tout seul ! » Il quitte les bras maternels et prend le risque de marcher sans aide. Pour accéder à sa maturité, il aura à vivre ce « moi, tout seul » sous d'autres formes. Il ne deviendra adulte que s'il accepte de rester seul à certaines heures. Faisant alors passer le gué à ses occupations et à ses soucis, à ses amours et à ses attachements, à ses pensées et à ses images, il fera l'expérience de la solitude : solitude qui n'est pas isolement, mais qui est un face-à-face avec lui-même.

« Quelqu'un lutta avec lui jusqu'à l'aurore... » Le combat spirituel se déroule dans la nuit. C'est dans la nuit de nos vies que s'engagent les combats les plus décisifs et cela se fait dans la solitude, plus précisément au moment de la trentaine et au début de la quarantaine, alors que nous devons faire un choix. Tout homme, toute femme arrive un jour à ce moment crucial de sa vie.

Nous pouvons être célibataires ou mariés, laïcs, prêtres ou religieuses ; il y a des luttes, des combats humains et spirituels qui ne se font que dans la solitude. Il y a des temps dans notre vie où personne ne peut nous aider, sauf Dieu; et même à ce moment-là, Dieu lui-même semble nous laisser seuls.

Nous devons accepter de vivre notre solitude, et ne pas chercher constamment à lui échapper en fuyant et en nous fuyant[1]. Il y a des personnes qui ont toujours peur d'être seules. Il faut toujours qu'elles soient entourées. Il faut qu'elles fassent quelque chose: elles ont peur de la solitude.

La personne qui entre dans la crise du milieu de la vie a souvent peur de livrer son «combat de Jacob» et fuit sa solitude. Elle tente d'oublier l'inconfort de la situation où elle se trouve et de taire les besoins nouveaux qui cherchent alors à s'exprimer, en s'absorbant dans des activités qui la maintiennent à la superficie d'elle-même. Il faudrait qu'elle s'arrête, qu'elle fasse face à elle-même, mais elle se lance dans l'hyperactivité. À cette époque de notre

---

1. «Nous pouvons parfois succomber à la tentation de la mauvaise solitude. Elle est celle d'un être qui, dans la société où il vit, familiale ou professionnelle, ne se sent pas reconnu par autrui. Il ne se connaît plus objet d'amour ou de relations personnelles. Il est véritablement seul.

«Cette solitude est mauvaise, parce qu'elle rive un être à lui-même. Ne se sentant pas admis et devant cependant vivre en société, un être se constitue un personnage, celui que les autres attendent. Ses parents et amis ne se rendent pas compte de l'imposture; il demeure plein d'entrain et a la répartie vive. Il rit selon les normes. Pour peu qu'il ait des qualités d'action ou d'intelligence, il tient sa place dans le monde. Mais aux heures d'abandon sa vie lui paraît vide. Il se fuit, s'ennuie, se raidit. Il ne peut se supporter seul. Un tel état ne permet pas d'établir de vraies relations. Si vous parlez à cet homme d'apostolat, de don de soi, comme il veut jouer le personnage que l'on attend de lui, il s'excite à des sentiments qu'il n'a pas, et c'est par sa volonté qu'il aime Dieu et les autres. Son amour demeure raide, tendu et impersonnel. Dans la plus débordante activité qui semble devoir le sortir de lui, il vit encore le personnage qu'il s'est fait.

«Il est une autre sorte de solitude, la bonne celle-là, sans laquelle l'amour dans le célibat n'est pas possible, pas plus d'ailleurs qu'il n'est possible dans le mariage. Elle est celle de l'être qui s'étant reconnu objet d'amour devant Dieu et devant les autres, s'accepte à travers les relations qu'il noue, dans les limites de son existence. Cette acceptation de soi et de ses limites n'est pas une résignation à l'inévitable, effet du dépit ou de l'orgueil, mais connaissance de soi dans l'amour. Quand un être est devenu capable de cette solitude, c'est-à-dire quand il s'est éveillé à une liberté qui se reçoit et se donne tour à tour, alors il devient capable de vraies relations avec les autres. Il n'a plus rien à cacher. S'étant pris en main, il se situe devant les autres. Il n'est plus muré en lui.» Jean Laplace, «*Le Prêtre*», Éditions du Chalet, 1969, p. 89.

vie, l'activisme devient une défense contre soi-même. Ce serait le temps de s'arrêter, d'aller peut-être faire un séjour dans un monastère, seul avec soi-même et avec Dieu, pour pouvoir prendre conscience que si nous sommes alors dans l'impossibilité d'enrayer le flot des occupations qui envahissent notre existence; c'est parce que nous pressentons que nous arrêter, consentir pour un temps à ne rien faire, ce serait entrer dans notre solitude, faire face à nos peurs, ouvrir une brèche sur notre monde intérieur et percevoir l'écho de ces voix silencieuses qui nous dérangent. Au lieu de prier, nous discutons; au lieu de nous intérioriser, nous philosophons. Même dans la vie religieuse, voilà que notre conduite coïncide de plus en plus avec l'idéal d'une société de consommation: chercher à tout prix la sécurité, tirer le maximum de la vie, s'accorder toutes les satisfactions dont nous avons besoin. C'est l'éternelle proposition de l'insensé citée dans la Bible: « Du meilleur vin et de parfums enivrons-nous, ne laissons pas échapper les premières fleurs du printemps. Couronnons-nous de boutons de roses avant qu'elles ne se fanent (Sg 2, 7-8). »

On ne le dit pas de cette façon, c'est certain, mais on le dit d'une autre façon: « Après tout, j'ai travaillé; j'ai le droit à du bon temps »; « C'est mon argent, je l'ai gagné, je peux en profiter », etc. Et nous devenons peu à peu superficiels et vides, sans vie intérieure et sans sagesse.

Nous cherchons alors à cacher le vide de notre vie, nous voulons faire quelque chose de rentable et d'efficace qui, en nous attirant l'estime d'un milieu auquel nous tentons de nous conformer, recule le plus possible ce face à face auquel nous voulons échapper.

Nous pourrions donner une quantité d'exemples: un homme d'affaires veut absolument réussir avant d'avoir quarante ans pour prouver enfin à son père et sa famille qu'il est quelqu'un; un prêtre exemplaire à tous points de vue se démène pour devenir le meilleur et s'efforce pour que son agenda soit toujours rempli, parce qu'il lui semble que sans cela, il ne serait pas le prêtre auquel les gens s'attendent.

Inconsciemment, c'est la course à la réussite et la peur de se rencontrer soi-même.

Nous durcir ou nous attendrir?

« Jacob resta seul », dit la Bible. Il était seul avec lui-même et seul avec Dieu. C'était pour lui — comme pour Adam et Ève — la rencontre avec la nudité de son être. Avant cela, il s'était habillé de sa force, il s'était accroché à sa puissance. Maintenant, c'est la solitude. Il doit faire face à sa vulnérabilité.

Nous devons apprendre à nous assouplir, apprendre à devenir vulnérables. Autour de la quarantaine, il y a un choix à faire: nous durcir ou nous attendrir. Devenir souples et tendres, ou cyniques et durs.

Nous devons à un moment de notre vie faire face à nos peurs dans la solitude de notre cœur. Avez-vous remarqué que lorsque nous avons peur, nous nous tendons, nous nous raidissons, nous nous empêchons de ressentir? Même nos doigts sont raides, sans vie, sans chaleur. La peur en nous se trahit par notre toucher et engendre un malaise ainsi que d'autres peurs ou de l'agressivité.

Au fond, nous découvrons que la rigidité du corps et la rigidité de l'esprit vont souvent de pair. Il faut apprendre à nous assouplir, à ne plus nous tendre, à nous libérer de nous-mêmes, à nous abandonner. Ne pas s'accrocher, voilà la leçon de toute une vie!

Partir fait mal. S'abandonner fait peur. La crise du milieu de la vie fait surgir nos peurs et nos faiblesses. Souvent, un obstacle important nous bloque la route qui mène à la maturité. Cet obstacle, c'est la peur. Peur de partir, de se laisser aller, de lâcher prise enfin.

Le début de la sagesse se manifestera lorsque nous reconnaîtrons que nous sommes rigides et que nous freinons le changement à cause de la peur. Nous devons apprendre à lâcher prise si nous voulons aimer vraiment en profondeur. Nous devons apprendre peu à peu à nous libérer de nos peurs. L'amour véritable se traduit toujours par des mains ouvertes.

S'abandonner est l'essence du pardon véritable. Plus nous gardons nos ressentiments, nos haines; plus nous demeurons négatifs, et plus nous nous faisons mal; plus nous faisons mal aux autres. Pour aimer, nous devons nous débarrasser de notre esprit critique, du goût et de l'habitude de juger, d'analyser, de critiquer les personnes ou les groupes.

Peu importe le mal ou les torts encourus, au lieu de blâmer, nous devons apprendre à pardonner sans conditions et même à oublier le plus possible. La haine, la rancœur, l'agressivité refoulée rongent notre cœur. Les haines, les jalousies, les blessures, les abus, les remords sont autant de chaînes qui entravent la paix intérieure. Elles nous retiennent dans le passé. Elles nous rongent intérieurement, un peu comme un excédent d'acide gastrique.

C'est notre système endocrinaire qui va en payer le prix. En refoulant notre agressivité et notre colère, sans le savoir, nous nous prédisposons au diabète, à l'arthrite, aux allergies et même au cancer. Généralement, le diabète, l'arthrite, les allergies ou d'autres maux découlent simplement d'un dérèglement psychologique. Toutes les maladies ne sont cependant pas imputables à des causes psychologiques. Il est très important de tenir compte de cette remarque et de ne pas l'oublier.

Si nous voulons goûter la paix intérieure et guérir notre corps physique, il faut que nous apprenions à changer nos attitudes ou habitudes de penser d'abord, à demander pardon et à nous pardonner ensuite. Il faut que nous apprenions à nous départir du négatif, de ce que nous appelions autrefois péchés capitaux: l'orgueil, l'avarice, l'envie, la colère, l'impureté, etc.

Mais le premier pas à faire, c'est d'avouer notre faiblesse, d'enlever nos masques, et d'accepter nos blessures et notre vulnérabilité. C'est vraiment un combat d'où nous sortons finalement blessés; mais beaucoup plus tendres, souples et pacifiés.

Servir ou nous servir?

Nous devons apprendre à assumer notre solitude. En fait, nous ne pouvons pas vivre une vraie vie de famille ou une vraie vie de communauté si nous n'avons pas appris à assumer la solitude. Sans cela, nous pouvons nous servir des autres pour meubler notre solitude. Certains, sous prétexte de générosité et du bien à faire aux autres, fuient leur solitude en ayant un besoin excessif de dominer ou de commander.

Karen Horney explique: « La tendance à la domination ne se traduit pas nécessairement par une hostilité à l'égard d'autrui. Elle peut se dissimuler et se cacher sous des formes socialement valables ou humanitaires, par exemple: une propension à donner des conseils, à régler les affaires des autres, à prendre des initiatives, à diriger les autres soi-disant pour leur bien. Une autre particularité résultant du besoin de dominer est l'incapacité d'entretenir des relations d'égalité. Une telle personne doit commander; sinon elle se voit complètement perdue, dépendante, impuissante[2]. »

La peur de sa faiblesse est au cœur du problème de l'individu arrivant au milieu de sa vie. Il doit s'affronter lui-même, faire face à sa solitude; mais trop souvent, il veut cacher sa faiblesse sous une apparence de force.

« Il veut cacher sa faiblesse, son insécurité, sa peur de la solitude, son impuissance, son incapacité de s'affirmer, son angoisse. Pour ce faire, il se crée une apparence de force. Mais plus ses efforts vers la sécurité s'orientent vers la domination, plus son orgueil s'attache à la puissance, et plus il se méprise profondément. Non seulement il ressent la

---

2. Karen Horney, « *La personnalité névrotique de notre temps* », L'Arche, pp. 129-130.

faiblesse comme danger, mais il la réprouve en lui-même comme en autrui.

« Méprisant ainsi foncièrement sa faiblesse, et persuadé que les autres le méprisent de même s'ils la découvrent, il tente désespérément de la dissimuler, mais redoute toujours d'être démasqué tôt ou tard. De là, vient son angoisse continuelle[3]. »

« Les personnes de ce type sont aussi portées à vouloir toujours avoir raison, et s'irritent lorsqu'on leur prouve qu'elles ont tort. Des efforts vers le pouvoir servent en premier lieu, de protection contre l'impuissance. Il déteste à tel point trouver en lui les moindres traces d'impuissance ou de faiblesse qu'il fuira des situations que les gens ordinaires considéreraient comme banales, par exemple: accepter une directive, un conseil, dépendre de personnes ou de circonstances, céder aux autres. Plus il devient faible, et plus anxieusement il évitera tout ce qui ressemble à la faiblesse. Il se persuade qu'il devrait maîtriser toute situation, si difficile fût-elle[4]. »

Forts contre Dieu

Nous trouvons beaucoup d'exemples dans la Bible où Dieu travaille avec des personnes après qu'elles eussent accepté de vivre leur solitude et accepté leur faiblesse.

Le combat mystérieux d'où Jacob, premier « Israël », sort blessé est bien l'image de notre vie et de notre destin. Forts contre Dieu au long de notre vie, nous résistons, mais comme « Israël » sort meurtri de sa résistance, nous aussi, de chacune de nos résistances, nous sortons meurtris, blessés à la hanche; c'est-à-dire, en ce point mystérieux de notre être où s'articulent la démarche, les comportements, les attitudes et l'agir.

3. Ibid., p. 177.
4. Ibid., p. 124.

Lorsque nous regardons cette lutte de Jacob avec Dieu, nous pouvons nous poser cette question: Pourquoi Dieu n'aurait-il pas pu vaincre Jacob sans lutter avec lui toute la nuit? Dieu prend toute une nuit, un long temps, des années pour lutter avec nous.

Il faut d'abord que Jacob perde son armure, sa carapace, sa force. Jacob était un homme fort qui menait sa vie. Il ne voulait pas s'abandonner. Il fallait donc que Dieu le *déboîte*. Jacob comptait trop sur lui-même et sur ses qualités pour que s'accomplisse ce qui avait besoin d'être fait. Il fallait que Jacob comprenne qu'il était pauvre et qu'il avait besoin de dépendre de Dieu et des autres.

Jusqu'à l'impuissance

Pour comprendre la grande purification de Jacob et la victoire de Dieu sur sa vie, il faut analyser ce que Dieu a fait avec lui et ce qu'il fera peut-être pour nous purifier.

La première façon dont Dieu se prendra pour purifier Jacob sera de le laisser seul. La seconde façon sera de l'acculer au mur afin qu'il arrive au bout de lui-même. Il fallait que sa propre force soit brisée et qu'il perde confiance en ses vertus naturelles. Il fallait qu'il fasse face à ses limites.

Il fallait que Jacob touche à l'impuissance totale. Et nous-mêmes, comme Jacob, nous avons à nous préparer à être blessés à la hanche et à faire l'expérience de notre échec et de notre impuissance.

Comme Jacob, nous devons, nous aussi, arriver un jour au bout de nous-mêmes. Parfois nous sommes engagés, nous faisons de l'apostolat; mais souvent, inconsciemment, nous nous recherchons nous-mêmes dans notre action apostolique.

« Il y a un type de générosité, nous dit Jean Vanier, qui vient du désir de réussir dans le domaine de la vertu. L'action ne jaillit pas du cœur, mais d'un besoin d'être apprécié. Cela peut amener la personne à une grande tension intérieure. Elle doit toujours être en action; faire du bien; elle se sent coupable si elle arrête. De telles personnes arrivent un jour à un point de fatigue et d'épuisement où elles craquent physiquement ou psychologiquement. »

Cet égoïsme spirituel, subtil, pousse la personne au succès. À la limite, elle utilise les autres pour se prouver quelque chose, pour cultiver sa propre image vertueuse. Il y a un type de générosité qui est une recherche très subtile de soi-même. Il y a un type de fausse bonté qui est une hyperactivité; nous courons secourir les autres, mais nous refusons de regarder ou d'accepter notre propre pauvreté.

Les étapes à passer

Lorsque nous considérons ce que Dieu a fait avec Jacob, nous voyons la façon que Dieu emploie pour nous changer et nous aider à devenir ce qu'il veut que nous soyons.

Par ce texte de la lutte de Jacob avec Dieu, nous distinguons les quatre étapes dont Dieu se sert pour transformer quelqu'un et pour le purifier. Nous devrons passer par la crise, la décision, l'aveu et la coopération au cours de cette lutte avec Dieu.

La crise. Jacob avait toujours mené sa vie comme il l'entendait. Tout lui réussissait. Mais au milieu de sa vie, il sentait soudain qu'il arrivait au bout du rouleau. La situation le dépassait. Il ne pouvait plus tout contrôler. Il s'était toujours senti fort car il avait le pouvoir, mais devant sa faiblesse, il a peur de s'effondrer.

La leçon à tirer se résume à ceci : lorsque Dieu veut nous transformer, il commence par nous mettre dans une situation que nous ne pouvons contrôler. Nous faisons face à nos limites. Et plus nous luttons, plus nous nous fatiguons. C'est une situation de crise. Nous ne comprenons plus. Nous ne savons plus quoi faire.

Si, en ce moment, nous passons une crise, disons-nous bien que Dieu a un plan pour nous. Comme Abraham, il nous faut quitter quelque chose; faire face à l'inconnu; entrer dans le tunnel noir de l'abandon; quitter notre sécurité.

La décision. Jacob dit : « Non, je ne te laisserai pas partir. »

décidé à combattre

s entrions dans une
Il nous laisse seuls.
es décidés à changer
a des personnes qui,
se découragent, ne se
ourner en rond plutôt
face à la crise.
café *instantané* et de
nous ne sommes pas
facilement.
ça prend au moins six
elque chose tous les
itude. Il faut vraiment

L'aveu. L'Inconnu ... el est ton nom? » Et il répondit: « Jacob, c'est-à-dire « le tricheur ». »

Pourquoi l'Inconnu lui demande-t-il cela? C'est pour qu'enfin Jacob enlève son masque et accepte son état de pécheur. C'est comme si Dieu lui demandait: « Qui es-tu vraiment? Depuis ton adolescence que tu joues un personnage et que tu portes un masque; mais à la fin, quel est ton vrai caractère? Qui es-tu vraiment? »

Et Jacob avoue enfin. Il dit: « Oui, je suis un tricheur, un rusé, un hypocrite. »

Il s'identifie par son nom. Comme cela est important dans notre cheminement spirituel! Nous ne pourrons progresser humainement et spirituellement que lorsqu'honnêtement nous admettrons nos fautes, nos péchés, nos tricheries, notre jalousie, notre orgueil, notre hypocrisie et nos faiblesses.

Nous sommes tellement portés à chercher des excuses pour nos fautes et nos erreurs qu'au lieu de les avouer, nous jetons le blâme sur les autres à la manière d'Adam et Ève.

Pour franchir la troisième étape, il faut avouer notre responsabilité et ne pas chercher des excuses à nos erreurs.

« Oui, c'est vrai, mon nom est Jacob, c'est moi le tricheur, mais prends pitié de moi Seigneur. »

La coopération. Il y a une autre chose que nous pouvons voir dans la vie de Jacob. Jacob a souvent eu des problèmes dans sa vie parce qu'il avait triché et était hypocrite. Cela lui amenait souvent des problèmes.

Mais à chaque fois qu'il se produisait un problème, Jacob n'y faisait pas face et se sauvait. Il ne coopérait pas avec Dieu. Alors Dieu le blessa à la hanche. Cette blessure n'est pas surtout physique, mais symbolique. Puisque Jacob est blessé, il ne pourra plus se sauver aussi vite. Il sera donc obligé de faire face à ses problèmes, de coopérer avec Dieu.

Parfois Dieu nous blesse et permet dans nos vies un échec, une maladie, une épreuve, une solitude, afin que nous arrêtions de nous sauver dans le travail, le plaisir, la sexualité et même dans l'apostolat. Il nous faut alors faire face à nous-mêmes.

Voulons-nous vraiment cheminer vers la sainteté? Alors Dieu fera pour nous ce qu'il a fait pour Jacob: il nous rendra faibles et vulnérables pour que sa force se déploie dans notre faiblesse.

« Que je suis heureuse de me sentir si imparfaite et d'avoir tant besoin de la miséricorde de Dieu. C'est si doux de se sentir faible et petit. Je me réjouis de me sentir toujours imparfaite et même j'y trouve ma joie » disait Thérèse de Lisieux.

Elle répétait presqu'une parole de saint François de Sales: « Encore que je me sente misérable, je ne m'en trouble et quelquefois j'en suis joyeux. » Cette parole fait elle-même écho au cri de saint Paul: « C'est donc de mes faiblesses que je me glorifie, car lorsque je suis faible, je suis fort. »

Quand l'apôtre se sait pauvre et qu'il compte sur Dieu seul, la fécondité apostolique prend alors son essor. Le tout est d'être pauvre. Mais qu'il est difficile de l'être entièrement! « Il faut consentir à rester toujours pauvre et sans force, disait encore Thérèse de Lisieux, et voilà le difficile. »

Il faut à la fois être pauvre et désirer beaucoup. Le grand secret des âmes petites et faibles est qu'elles peuvent tout acquérir en donnant à Dieu leur néant à remplir.

Après nos fautes et même nos péchés, rien ne sert de se regimber. Il faut accepter d'être faibles devant Dieu et même nous en réjouir, afin que la toute-puissance rédemptrice de Dieu habite en nous. Pour nous sauver de notre faiblesse de pécheur, il suffit de la reconnaître et de l'admettre, tout en continuant à la combattre et à désirer la sainteté.

Le combat de la prière

Nous pouvons aussi regarder le texte du combat de Jacob comme une image du combat de la prière. D'abord, nous voyons que « Jacob resta seul ». Ce qui signifie que la prière a besoin de solitude et de silence. Puis, c'est Dieu qui vient: « l'Inconnu entra en lutte avec lui ». Et Jacob va lutter toute la nuit, c'est-à-dire une longue période qui sera dure et difficile.

La prière est un combat. L'homme ne consent pas à l'action de Dieu dans une passive résignation; il n'a jamais à se résigner à la volonté de Dieu. Les images bibliques parlent d'une intense activité priante: on cherche; on frappe à la porte; on insiste. « Luttez avec moi dans la prière », demande saint Paul (Rm 15, 30 — Éph 6, 10-20). Chez le Christ, même la prière fut une prière de lutte (Lc 22, 44) exprimant une violente clameur (He 5, 7). « Père, je veux ! », dit-il (Jn 17, 24). Dans cette lutte, l'homme n'arrache pas le consentement de Dieu, c'est le consentement de l'homme qui est arraché à Dieu. Le désir de l'homme est l'appel divin se répercutant dans son cœur.

« Il le frappa au creux de la hanche et le creux de la hanche de Jacob se déboîta. »

Lorsque nous passons des épreuves, des nuits, des sécheresses, des purifications; nous devons continuer à lutter dans la prière, car cette lutte nous transforme. L'homme n'est pas seul à atteindre son but dans la prière.

Dieu tout d'abord est exaucé; lui qui crée pour se communiquer et dont la gloire est dans la révélation de son amour, ne demande pas aux hommes de le combler de leurs dons, mais de consentir à ses dons.

L'homme qui prie pour les autres croit faire fléchir Dieu à la pitié. Il lutte toute la nuit, mais c'est lui qui, au matin, est investi par la bonté et la miséricorde infinie. C'est lui qui, dans sa lutte, s'élève jusqu'au don de Dieu qui le reçoit. C'est toujours dans le suppliant qu'est exaucée la prière. On peut entendre dans ce sens la parole: « Demandez et vous recevrez. »

La foi, c'est d'être assez têtu pour continuer à lutter dans la nuit. La foi, c'est d'être bien hardi comme Abraham: « Je suis bien hardi de parler à mon Seigneur. »

Notre intention, c'est de vieillir dans notre foi; de perdre notre esprit d'enfance; d'arrêter de lutter. Et pourtant, Jésus dit: « Il faut prier sans jamais se lasser. » Il faut frapper comme l'ami importun de l'Évangile. Le saint Curé d'Ars disait: « La prière est la force de l'homme et la faiblesse de Dieu. »

Dieu veut nous donner telle grâce, mais il a comme besoin de notre prière, c'est-à-dire qu'il « veut » en avoir besoin. Il veut que nous soyons assez enfants pour crier vers lui du fond de notre faiblesse, pour que, par notre prière, nous soyons changés.

Comme Jacob, nous nous pensions forts, et Dieu voulait nous montrer notre faiblesse et il voulait que nous continuions à lutter, à supplier dans la nuit. Mais de ce combat, nous sortirons transformés, comme Jacob, en des hommes nouveaux.

Accepter ses blessures

Dans le combat spirituel livré par l'homme, la seule chance d'être victorieux tient dans l'acceptation des blessures possibles. La vie ne révèle sa grandeur qu'à ceux qui savent être vulnérables. Les fiers, les suffisants et les orgueilleux ignorent le secret de leur propre misère.

Après la crise du milieu de la vie, l'homme devient plus serein, plus près de son cœur. Il acquiert les qualités de l'enfant tout en gardant la sagesse de l'adulte.

Le combat n'est pas une fin en lui-même. Se chercher soi-même n'est pas un but; une quête indéfinie de soi tourne à l'égocentrisme. Qui ne connaît de ces personnes qui, à trop s'analyser elles-mêmes, se rendent malheureuses et épuisent leur entourage. Il s'agit de s'accepter nous-mêmes avec nos limites afin que nous acceptions la vie et les autres tels qu'ils sont. Ne serait-ce pas là le début de la sagesse?

C'est à travers bien des luttes et des combats que notre cœur de pierre se transforme en cœur de chair. Ces luttes et ces combats, il nous faut les accepter si nous voulons que la transformation de nos cœurs s'opère. Refuser les luttes et les combats, c'est se replier sur nous-mêmes et rejeter la possibilité que Dieu nous offre d'acquérir la sagesse promise.

À la fin du *combat de Jacob*, nous n'avons plus peur d'être nous-mêmes. Toute notre vie, nous circulons masqués, nous faisons tous semblant d'être honnêtes, généreux; nous feignons tous de n'avoir besoin de personne. C'est terrible d'oser enlever son masque et d'apparaître nu, fragile, vulnérable, vrai. Juger un autre est toujours une attitude défensive. Parce qu'on a peur de l'autre, on l'écarte d'emblée, on lui jette au visage des arguments, on le condamne par nos principes avant même de l'avoir entendu. Il n'y a pas de maturité sans souffrance. Il n'y a pas d'accouchement spirituel sans douleur. C'est après avoir vécu bien des solitudes et avoir assumé notre fragilité, que, comme Jacob, nous passerons d'un cœur de pierre à un cœur de chair et deviendrons bonté pour les autres. Quel combat et quelle délivrance que de devenir enfin soi-même!

CHAPITRE V

De la fuite à l'affrontement

« L'échec peut être
le chemin nécessaire
à une renaissance. »

Paul Tournier

À cause des conséquences du péché originel en nous, nous sommes tous, même en tant que chrétiens, portés à « rationaliser »; c'est-à-dire à nous donner un motif que nous qualifions de « raisonnable » au lieu de faire face à la vérité. Nous fuyons notre fragilité et nous fuyons nos vraies responsabilités.

Quelles en sont les raisons? Pourquoi rationalisons-nous? Sûrement à cause de la peur. Depuis qu'Adam et Ève ont rationalisé à cause de la peur, nous avons hérité du même comportement. Les parents blâment les enfants et les enfants blâment les parents. Le mari blâme sa femme et la femme blâme son mari. Nous blâmons les autres, ou même Dieu, parce que nous avons peur. Pourtant, la Bible dit: « Le parfait amour bannit la crainte (1 Jn 4, 18). »

Au lieu de blâmer les autres pour nos propres faiblesses, nous devrions faire face à la réalité.

La jalousie

La jalousie est une émotion que nous n'aimons pas. Souvent, nous attribuons nos échecs du passé à la jalousie des autres. Mais nous ne voulons pas accepter notre propre jalousie; cela nous humilierait trop d'accepter d'être jaloux comme ceux que nous avons accusés.

La jalousie nous fait nous replier sur nous-mêmes et nous sépare des autres: parfois, cela apparaît très tôt dans la vie. Tout comme dans notre enfance nous pouvons démontrer de l'affection, de même nous pouvons commencer à être jaloux parce que nous ne nous sentons pas aimés pour nous-mêmes.

La jalousie vient souvent d'un manque de confiance en nos propres dons. Les dons des autres, au lieu de nous réjouir, nous blessent. Prenons un exemple: Marie voit que Jeanne chante très bien. Elle constate aussi que les gens lui demandent de chanter dans des réunions beaucoup plus souvent qu'on ne le lui demande à elle. Marie jalouse Jeanne, mais comme elle est chrétienne, elle ne veut pas se l'avouer;

car elle a honte de sa jalousie et trouve cela trop laid. Alors, doucement et inconsciemment, Marie commence à penser que Jeanne est orgueilleuse lorsqu'elle chante. Elle croit qu'on ne devrait pas lui demander de chanter si souvent car, « après tout, se dit-elle, il y en a d'autres qui chantent aussi ». Marie rationalise ainsi sa propre jalousie sous le couvert « spirituel » d'aider Jeanne à demeurer humble.

Le besoin de sécurité

Chaque fois que Jean a peur de faire une erreur, il se trouve de bonnes raisons pour ne pas participer à telle réunion ou à telle compétition. Au lieu de faire face à son insécurité, il se dit trop fatigué ou trop occupé. Incapable de dire et d'avouer son insécurité et sa peur, il rationalise et trouve une raison acceptable pour sa conscience.

Quelqu'un peut même rationaliser ses désirs sexuels. Au lieu de s'avouer certains attachements, certaines attitudes ou comportements, la personne rationalise.

Un bon chrétien dira qu'il doit absolument aller voir tel spectacle pour pouvoir comprendre les gens qui y vont. Ainsi, il rationalise par peur d'avouer son voyeurisme caché.

Un homme d'apostolat se découvrira le don d'aider telle femme, veuve ou séparée. Il la verra une ou deux fois par semaine pour prier la Bible avec elle. Cependant, il ne peut pas s'avouer qu'il ne dialogue plus avec sa propre femme depuis longtemps et qu'il est attaché sensiblement à cette femme dans le besoin. Il rationalise ses besoins affectifs par l'apostolat des mal-aimés. Il croit faire de l'apostolat, mais cherche plutôt de l'affection. Le même phénomène se produit pour telle ou telle personne s'engageant dans des « réunions de prière » pour fuir la responsabilité de son foyer.

L'orgueil

Plusieurs rationalisent à cause de l'orgueil. Prenons pour exemple Marcel qui ne peut pas accepter d'arriver deuxième.

Il lui faut la première place en tout. Lorsqu'il joue au tennis et qu'il se voit dans l'obligation d'affronter un adversaire qui peut le vaincre, il se donne de bonnes raisons ou des excuses pour essayer de ne pas l'affronter dans un match. Il ne réussit pas toujours à éviter la confrontation. Alors, s'il n'a pas gagné, il attribuera la faute de sa défaite à son manque de sommeil, à un supposé mal de tête ou à un malaise quelconque.

Il ne peut pas accepter de perdre et admettre ouvertement que l'autre est vraiment meilleur que lui. Orgueilleux, il veut toujours gagner et se classer premier. En rationalisant, il se donne des motifs acceptables pour expliquer pourquoi il n'a pas gagné. Il ne veut jamais avouer directement la supériorité de son adversaire. Son orgueil l'en empêche.

La rationalisation par la fuite

Une religieuse paraissant pourtant très fervente, a une incompatibilité de caractère avec telle autre religieuse qui possède un tempérament très différent du sien. Voilà que se produisent des élections pour une nouvelle Supérieure à son couvent. Contre toute attente, la religieuse au tempérament différent de la religieuse fervente est élue Supérieure. Quelques mois passent et la religieuse qui semble très fervente se met à penser aux missions. Elle veut quitter son couvent pour aller travailler au loin dans une mission de sa communauté qui s'occupe des pauvres. Cette religieuse, très fervente extérieurement, lit son évangile sur la charité; sur l'acceptation de l'autre; sur l'obéissance; etc. Donc, elle ne peut pas accepter consciemment d'être incapable d'endurer sa nouvelle Supérieure. Inconsciemment, elle se donne une bonne raison pour s'éloigner de sa Supérieure: « J'ai une nouvelle mission pour les pauvres. » Tout semble très spirituel, sauf que son geste regorge d'agressivité. Elle rationalise sous le couvert de mission auprès des pauvres.

Elle fuit dans une autre direction au lieu d'affronter la volonté de Dieu.

Jonas ou la fuite

Qui de nous n'a pas fui la volonté de Dieu en rationalisant? Toute personne est tentée parfois de se sauver des responsabilités que Dieu lui donne; de fuir la volonté de Dieu.

Les psychologues affirment qu'en chacun de nous se trouve le désir inconscient de retourner à la sécurité du sein maternel. Nous voulons retourner au temps de la sécurité totale où aucune décision n'avait à être prise. Nous voulons retourner au temps où nous étions bien au chaud, à l'aise.

C'est moi, Jonas...

Voyons maintenant comment nous ressemblons souvent au prophète Jonas, surtout quand nous résistons à la volonté de Dieu. Comme Jonas, nous voulons nous sauver de ce que Dieu nous demande de faire.

Le prophète Jonas reçoit l'ordre de Dieu d'aller à Ninive: « Lève-toi et va à Ninive (Jon. 1, 1). » Et le prophète, loin d'obéir à Dieu, s'enfuit. Il tourne le dos à ce que Dieu lui demande. « Jonas se mit en route, mais pour s'enfuir à Tarsis (Jon. 1, 3). »

Jonas a dû se donner une bonne raison pour ne pas faire la volonté de Dieu. Il a rationalisé. Rationaliser est une tentative pour nous convaincre et convaincre les autres que nous faisons la bonne chose, même si au plus profond de nous, nous savons que ce n'est pas le cas. Rationaliser nous donne une excuse valable que les gens accepteront, mais qui ne fait que ressembler à la vérité.

François, un jeune de seize ans, aime beaucoup participer à la messe lors de la réunion de prière. Il aime cette participation surtout à cause de la chaleur qui se dégage lors du baiser de paix. Il peut alors serrer les jeunes filles dans ses bras: geste qu'il ne peut poser ailleurs à cause de sa grande timidité. François se veut très fervent à la réunion de prière, mais ne va pas à la messe du dimanche. Il donne d'autres explications qui sont très rationnelles au lieu d'avouer son grand besoin d'affection.

Nous rationalisons tous à certains moments de notre vie. Dieu nous appelle comme Jonas à faire telle chose, mais nous cherchons toutes les raisons possibles pour fuir quelque part et ensuite expliquer notre désobéissance par une excuse qui semble raisonnable et parfois spirituelle.

Obéir ou fuir

Le prophète Jonas reçoit de Dieu l'ordre d'aller à Ninive et il tourne le dos à ce que Dieu lui demande. Peut-être a-t-il rationalisé en se disant: « Il doit y avoir une ville formidable là-bas. J'exercerai mon ministère efficacement à Tarsis. »

Jonas oublie quelque chose. S'il obéissait et allait à Ninive, il irait porter le message authentique de Dieu et la grâce de Dieu serait avec lui. Mais en allant à Tarsis, sous de beaux prétextes, en allant travailler et se dépenser dix fois plus qu'à Ninive, Jonas oublie que Dieu ne sera pas avec lui. Il a pu parler de Dieu, mais il n'a pas pu parler pour Dieu et à la place de Dieu. Voilà qui est très différent. L'essentiel de la vie spirituelle est de faire la volonté de Dieu. Souvent, nous préférons entreprendre de grands projets qui flattent notre orgueil plutôt qu'obéir humblement à la volonté de Dieu.

Lorsque Dieu demande à Jonas d'aller à Ninive, il ne répond même pas à Dieu. Il ne prend pas le temps de réfléchir et de prier sur ce que Dieu lui demande, mais s'empresse de fuir. Il se dit peut-être: « Si je commence à discuter avec Dieu dans la prière, je me ferai avoir et je serai obligé d'accepter sa volonté. Je préfère fuir. » Mais il doute: « Il me faut fuir au plus vite et ne pas attendre que le Seigneur me parle de nouveau. »

Fuir vers le contraire

Parfois dans notre vie, lorsque nous sentons que Dieu pourrait nous demander quelque chose, nous fuyons. Certains fuient dans l'activité et le travail. Il y a pour cela un mot anglais quasi intraduisible en français: « work-aholic ». Nous nous saoulons, nous grisons de travail; nous devenons comme drogués par le travail et l'activité. Le travail se traduit alors par une fuite.

Nous pouvons même fuir dans l'apostolat plutôt que de nous arrêter et d'entrer profondément en nous.

Non seulement Jonas fuit, mais il fuit dans le sens contraire de ce que Dieu veut. « Ninive est à l'Orient; j'irai donc à l'Occident », se dit-il.

Dans notre vie, lorsque nous sentons que Dieu voudrait nous engager à fond dans une mission apostolique précise, nous pouvons parfois fuir dans la prière. Même la prière peut-être une fuite. Comme nous le disait Mère Teresa: « L'Heure sainte devant l'Eucharistie doit nous conduire à l'heure sainte avec les pauvres. » Ce sont les religieuses de Mère Teresa qui ont demandé à l'évêque de San Francisco de s'occuper des victimes du sida que les bons chrétiens rejetaient.

Les faux priants disent: « Nous, les bons, vivons ensemble quelque chose de fort. Prions ensemble puisque nous sommes les élus du Seigneur. » Les vrais priants diront plutôt: « Nous sommes tous pécheurs. Que pouvons-nous faire pour nos frères blessés? Laissons-nous déranger par les mal-aimés. »

Parfois le revers de la médaille est tout aussi vrai. Lorsque nous sentons que Dieu voudrait nous parler dans la prière profonde, nous nous trouvons alors de bonnes raisons pour ne pas nous arrêter. Nous fuyons dans l'action; nous fuyons dans l'apostolat. Nous nous disons très engagés.

Fuir dans le sommeil

La Bible nous parle aussi d'une autre chose qui est en même temps un phénomène psychologique très répandu. Non seulement Jonas fuit vers Tarsis, mais il fuit aussi dans le sommeil. « Jonas était descendu au fond du bateau; il s'était couché et dormait profondément (Jon. 1, 5). »

Ce texte biblique rejoint ce que disent certains psychologues modernes. Il y a des personnes qui, au lieu d'affronter directement leurs problèmes, fuient dans le sommeil. C'est ce que nous pourrions appeler le suicide indirect: « Je vais dormir au lieu de prendre mes responsabilités. » Tout comme l'alcoolique boira au lieu de faire face à ses responsabilités, certaines personnes fuiront dans le sommeil.

Regardons notre vie. Observons autour de nous. Peut-être connaissons-nous des personnes qui agissent ainsi — ou peut-être l'avons-nous déjà fait? Quand quelque chose ne va pas, quand il y a quelque chose qu'elles ne peuvent accepter, alors elles dorment. Comme Jonas, ces personnes ont peur de la volonté de Dieu. Elles s'échappent et fuient dans le sommeil.

La résistance

Jonas régresse. Il veut retourner en arrière, au temps où il n'avait pas besoin de prendre ses responsabilités. Il veut retrouver la bonne mère qui le nourrissait sans qu'il ne fasse d'effort. Jonas dort et se laisse vivre.

Cet épisode de la vie du prophète Jonas nous montre qu'il s'est laissé mener par ses émotions. Il a placé ses émotions en haut, et sa raison, tout comme son bon sens, en bas. Probablement que Jonas n'affichait pas l'air d'un sentimental ou d'un émotif dans sa vie. Plus quelqu'un a peur de ses émotions, plus il s'efforcera de sembler fort et rationnel. Tout ce qu'il dit semble toujours logique, mais, en fait, il agit selon ses émotions. Jonas résiste à la volonté de Dieu en se persuadant qu'il fait sa volonté. Il camoufle sa résistance sous de bonnes raisons.

Ma volonté ou la sienne

Comme Jonas, nous fuyons souvent la volonté de Dieu et nous refusons de lui obéir. Pourquoi résistons-nous à la Parole de Dieu? Il y a plusieurs raisons.

Premièrement, nous résistons souvent à la volonté de Dieu parce qu'il nous semble que nous connaissons mieux que Dieu lui-même ce qui est bon pour nous. Parfois même, nous pensons que Dieu n'est pas raisonnable de nous demander certaines choses, car, selon nous, cela va gâcher tous nos plans.

Deuxièmement, à cause de l'orgueil. Lorsque nous décidons de servir Dieu selon nos propres conditions, nous pouvons dire que l'orgueil a substitué notre volonté à celle de Dieu. Nous voulons nous dépenser, être généreux, nous engager dans toutes sortes d'organisations, mais en dehors de la volonté de Dieu. Précisément comme cet homme qui anime des réunions de prière, qui fait de l'évangélisation, qui s'occupe des pauvres, mais qui ne peut pas demeurer à la maison avec sa femme pour s'occuper de ses enfants. Tout le monde l'admire; sauf sa femme qui souffre de son absence et ses enfants qui rejettent la pratique religieuse, à cause de leur père si « apôtre » en dehors du foyer.

Jonas aurait volontiers travaillé comme un fou et servi Dieu en Samarie, selon ses propres conditions. Jonas n'était pas un athée. Il était un homme très religieux, mais trop attaché à sa propre volonté, orgueilleux et entêté. Ce n'est pas trop grave de pécher par faiblesse si nous nous relevons très vite. Nous entêter, nous défendre, trouver de bons motifs pour justifier nos actes et continuer à faire notre volonté au lieu de celle de Dieu, voilà où se trouve la gravité du péché.

Troisièmement, nous résistons à Dieu par notre entêtement, parce que nous nous trompons nous-mêmes. Jonas a pris du temps à admettre son entêtement. Et nous, avons-nous de la difficulté à reconnaître nos torts? Avons-nous de la difficulté à admettre que nous nous sommes trompés?

Des années durant, Dieu sera obligé de nous purifier; et nous serons seuls, acculés au mur. Dieu attendra que nous cessions de nous entêter et qu'enfin nous soyons disposés à avouer nos torts.

Jonas aurait pu s'en sortir avec l'aveu et le repentir, mais il a choisi l'entêtement.

La tempête

Jonas fuit et, au lieu d'affronter ses problèmes, il s'évade dans le sommeil. Il refuse de prendre ses responsabilités. La Bible nous dit qu'il est au fond de la cale du bateau, loin des contradictions de la vie, loin des problèmes, loin de la souffrance des autres.

Jonas cherche à oublier ce que Dieu lui demande. Qu'arrive-t-il alors? La tempête s'abat et le bateau est secoué. Nous pouvons avoir de bonnes raisons pour fuir ce que Dieu veut, nous pouvons rationaliser et trouver des motifs spirituels et essayer de nous faire accroire que Dieu veut autre chose pour nous. Mais nous n'échappons pas à la volonté de Dieu. Nous devons prendre nos responsabilités; car si nous fuyons, il y aura, comme dans la vie de Jonas, des tempêtes, et notre bateau sera secoué. Tous nos beaux projets que nous pensions de Dieu s'écrouleront, si nous sommes en dehors de la volonté de Dieu. Nous nous retrouverons seuls et angoissés.

Il y aura encore une chance pour nous, car Dieu nous demande d'avouer que nous avons fui, que nous aurions dû accepter sa volonté au lieu de la fuir. Dieu nous demandera de dire sincèrement: « Nous nous sommes trompés, nous avons eu tort. »

Comme cette religieuse qui préférait fuir en Afrique plutôt qu'obéir à sa Supérieure dans sa propre maison, nous devons avouer que nous avons fui dans toutes sortes de projets au lieu de faire la volonté de Dieu. Tant que nous rationaliserons, il y aura des tempêtes dans notre vie, des angoisses et nous essaierons toujours d'accuser tout le monde au lieu de nous convertir.

Plonger dans la mer

Nous n'échappons pas à la volonté de Dieu. Parfois, nous avons eu peur de faire la volonté de Dieu parce que cela nous semblait trop difficile, et voilà que la tempête ébranle notre bateau.

Lorsque Jonas plonge dans la mer, la tempête s'apaise. C'est alors que la mer se calme. Jonas commence à être le prophète fidèle à sa mission lorsqu'il se laisse jeter à la mer.

Comme Abraham, il faut que Jonas quitte ses sécurités, sa vie facile, pour plonger dans la nuit de la foi. Dans la Bible, la mer symbolise le mal et le péché.

Donc, les matelots jettent Jonas dans la mer, et l'on dit qu'un gros poisson circule à l'aise dans la mer, dans le mal. Ce gros poisson symbolise Jésus-Christ. Et ce poisson qui se balade dans le mal avale Jonas. Puis celui-ci est purifié et relâché. Jonas s'apparente à Jésus-Christ qui descendra jusqu'au fond du mal pour ressusciter au bout de trois jours.

Le destin de l'apôtre

Tel est le destin de l'apôtre chrétien: être jeté à la mer, au large. Tout apôtre de Dieu vit aussi ces trois jours dans les profondeurs de la mer où tout semble anéanti. C'est la nuit, l'effroi, l'angoisse, la nuit des sens et de l'esprit.

Mais, après ces nuits, la vraie mission commencera; la seconde conversion arrivera. Nous pouvons lire dans la Bible: « Pour la seconde fois, la parole de Yahvé s'adressa à Jonas: « Lève-toi, va à Ninive et annonce la nouvelle que « je te dirai. » Jonas se leva pour aller à Ninive selon la parole de Yahvé (Jon. 3, 1-3). »

Seconde conversion

Comme Jonas, nous avons parfois désobéi à l'appel de Dieu. Nous avons peut-être fui ce que Dieu voulait pour nous. Comme Jonas, nous avons fui dans le sommeil pour ne pas prendre nos responsabilités.

Alors, il s'est produit des tempêtes, des bourrasques, des nuits; et nous aussi avons été précipités dans la mer, dans la solitude et l'angoisse.

Mais, si à ce moment nous nous laissons purifier, si nous nous laissons faire, si nous avouons nos torts et obéissons à la volonté de Dieu; ce sera alors une nouvelle étape dans notre vie spirituelle, une seconde conversion. Mais il nous faut d'abord arrêter de fuir et faire la vérité en nous.

S'accueillir dans la vérité

L'humain fuit souvent la vérité. Cela se rencontre couramment chez des hommes et des femmes qui se disent religieux et vertueux. C'est ce que les psychologues appellent parfois la compensation.

La compensation se ramène à un mécanisme psychologique fort simple. Un individu pressent le vide ou la fausseté de telle ou telle de ses attitudes, options, activités, idées, etc. Bien qu'il reste au niveau de l'inconscient, ce pressentiment détermine une certaine inquiétude. Nous sentons qu'il y aurait des choses à changer, qu'il faudrait avouer nos torts, nous réconcilier avec quelqu'un, etc. Mais devant cette inquiétude, c'est comme si nous avions besoin de nous donner de l'assurance.

Alors la compensation intervient. Plutôt que de s'engager en quelque remise en cause de soi, en quelque aveu, et surtout dans la réforme de soi qui devrait s'en suivre, nous compensons: nous invoquons, nous proclamons d'autant plus telle valeur ou telle exigence que nous nous en voulons davantage de ne pas y correspondre dans la vérité de nous-mêmes.

Quelqu'un peut parler de justice avec force parce qu'au fond, il est injuste pour les autres. Les constatations des psychologues sur la compensation rejoignent l'enseignement traditionnel des grands spirituels et des Pères de l'Église sur la peur de nous connaître nous-mêmes et sur nos réactions spontanées de fuite en présence de toute occasion d'entrer en vérité sur nous-mêmes. Nous préférons toujours accuser les autres que de nous voir nous-mêmes dans la vérité.

C'est aussi l'expérience d'Israël que psychologues et spirituels rejoignent ici: le peuple hébreu exprimant sa haine du désert en récrimination contre son propre chef, Moïse, est la parfaite image de l'homme (individu, groupe ou communauté) qui exprime en attitudes et jugements sur autrui la haine du vide qu'il pressent en lui-même.

Or, il s'agit aussi d'être miséricordieux avec nous-mêmes. Il s'agit de nous accueillir tels que nous sommes au lieu de jouer un personnage. Pour cela, il faut regarder notre vie et accepter humblement qu'elle nous révèle, d'étape en étape, le désert que nous sommes, en acceptant d'y avancer, même si cela nous fait peur.

C'est cela nous laisser conduire au désert: nous découvrir faibles et vulnérables sans nous haïr; nous voir tels que nous sommes; nous accueillir nous-mêmes dans la vérité même si nous nous découvrons pauvres et nus et que, comme Jonas, nous avons souvent fui la volonté de Dieu sur nous. Acceptons d'être aimés dans notre misère et ouvrons-nous à la miséricorde.

En agissant de la sorte, nous avons de fortes chances de parvenir petit à petit à la transformation de notre cœur de pierre en un cœur de chair.

CHAPITRE VI

De la crise du milieu de la vie au renouveau du cœur

« Maudit que c'est beau
quarante-quatre ans;
déjà au monde,
venir au monde. »

Jean Lapointe

Gail Sheehy, dans son best-seller « Passages », décrit ainsi les étapes de la vie adulte: « Première étape: s'arracher à ses racines — 18 à 22 ans; deuxième étape: difficultés de la vingtaine — 22 à 28 ans; troisième étape: passage de la trentaine — 28 à 32 ans; quatrième étape: enracinement et extension — 32 à 39 ans; cinquième étape: décennie de la dernière limite — 35 à 45 ans; finalement, la sixième étape: renouvellement ou résignation — après 45 ans. »

À chacune de ces étapes de la vie adulte, il y a une crise et un passage à vivre. Ainsi, par exemple, durant les dernières années de l'adolescence jusqu'au milieu de la vingtaine, nous devons arriver à l'indépendance, en nous séparant du foyer paternel, pour établir notre véritable identité.

Chaque étape est comme une crise qui demande une nouvelle évaluation de notre vie. L'étape de la quarantaine est peut-être plus intense que celle de l'adolescence; c'est ce que nous appelons parfois « la crise du milieu de la vie »; qui survient généralement entre 35 et 55 ans.

Devrais-je faire autre chose?

Comment décrire cette crise du milieu de la vie? « Au début de la quarantaine, les idéaux de la jeunesse commencent à devenir plus fades. C'est comme s'il n'y avait plus rien d'excitant dans le travail qu'on fait. On se sent comme mourir sur place. »

Alors on se dit: « Devrais-je faire autre chose? Devrais-je agir différemment? Ne serais-je pas prisonnier de mon mariage, de ma vocation? Pourquoi continuer comme avant? Une ouverture à autre chose, un nouveau départ, une nouvelle orientation, un nouveau mariage pourrait peut-être m'ouvrir de nouvelles avenues? » À ce moment de la crise, nous remettons en question le rôle que nous avons joué depuis des années, les engagements que nous avons pris et même nos convictions religieuses.

« C'est le temps du désenchantement sur sa vie qui amène alors une crise et une purification de sa foi. C'est à ce moment de désenchantement que certains tombent en amour pour la première fois et que d'autres qui semblaient heureux en mariage commencent à penser à une autre femme ou à un autre homme. Durant ces années de crise, toutes les obligations deviennent comme étouffantes (A. Van Kaam). »

C'est l'âge où nous nous sentons basculer sur l'autre versant de notre vie. Nous nous trouvons entre deux chaises. Tout comme le jeune adolescent a du mal à quitter son enfance et voudrait être un homme, la personne qui vit sa crise du milieu de la vie est en position incommodante.

C'est alors qu'on commence à se dire qu'on doit renoncer à bien des choses: la vigueur, le tour de taille, une vision parfaite, le rêve de devenir étoile du hockey ou de la télévision. On doit abandonner l'espoir de lire tous les livres qu'on s'était juré de lire, de visiter tous les endroits qu'on s'était jadis juré de visiter. On cesse d'espérer sauver le monde du cancer ou de la guerre. On renonce même à croire qu'on réussira à être mince ou immortel.

On est bouleversé. On a peur sans le dire. On ne se sent pas en sécurité. Si on est marié, les enfants s'en vont peu à peu, vers d'autres maisons, d'autres villes, d'autres pays parfois. Ils échappent à notre contrôle et à notre sollicitude.

Tout à coup, nos amis — si ce n'est pas nous-mêmes — se mettent à avoir des problèmes conjugaux, des crises cardiaques, du gras dans le sang, des débuts de cancer. Certains d'entre eux — des hommes et des femmes de notre âge! — meurent. Au fond, nous voudrions être rassurés et désirerions que quelqu'un nous dise: « Ne vous inquiétez pas, vous ne mourrez jamais. »

Mais nous savons que nous avons plus d'années en arrière qu'en avant. C'est alors qu'on peut tomber — et c'est ce que beaucoup font — dans la dépression. On devient parfois amer — « Il n'y a rien d'autre que ça? » — ou profondément déçu d'avoir failli à ses idéaux, à ses buts. Ou bien pétri d'ennui et d'une mystérieuse fatigue. Certaines personnes qui ne veulent pas entrer dans la crise adoptent un comportement autodestructeur: on boit; on conduit très vite; on avale des pilules; on envie les jeunes — jusqu'à ses propres enfants —; on prend des cours de danse pour se donner une illusion de jeunesse et de vitalité. Parfois on est accablé sous le poids de la culpabilité en repensant aux erreurs qu'on a fait ou au bien qu'on aurait pu faire; on sent le besoin d'une vie spirituelle, d'une plus grande intériorité, mais en même temps, on fuit la vie intérieure.

Durant cette étape du milieu de la vie, les personnes se posent les questions suivantes: «Qui suis-je? Qu'ai-je accompli? Ce que je fais a-t-il vraiment de la valeur? Est-ce que je veux continuer à être ce que je suis et à faire ce que j'ai toujours fait?»

Cette crise amène un bouleversement et un changement. Ces périodes de crise dans nos vies sont-elles souhaitables? Je réponds par l'affirmative et j'ajoute qu'il nous faut les traverser pour devenir plus authentiques. Ce sont des moments de vérité.

«En premier lieu, affirme Gail Sheehy, il faut accepter la crise, car elle permet de se libérer de ses démons. Tous les problèmes non résolus lors des passages antérieurs vont réapparaître et nous perturber. Il y aura même des épisodes de notre enfance, des aspects cachés de nous-mêmes qui demanderont sinon à être acceptés, du moins à être reconnus.»

Cette crise du milieu de la vie est une invitation à changer profondément, un moment pour trouver le sens profond de notre vie, la minute de vérité pour libérer le meilleur de nous-mêmes qui surgit du fond de notre être, et nous laisse pressentir que nous sommes infiniment plus que nous croyons être vraiment.

La crise est-elle inévitable?

Cette crise du milieu de la vie est-elle inévitable? Il faut savoir qu'entre 35 et 45 ans (parfois jusqu'à 55 ans), la plupart d'entre nous faisons l'expérience de ce moment de vérité. Tous, un jour ou l'autre, nous aurons à faire face à des changements importants dans notre personnalité et nous devrons y faire face. Certains brusquement, d'autres en douceur. Les questions intérieures refoulées à un moment précis ressurgiront avec plus de force à un moment ultérieur, occasionnant alors un drame, une crise. Les crises non résolues de nos 18 ou 30 ans qui se déclenchent vers les 50 ans peuvent être terribles, sans pour autant être irrémédiables.

La deuxième adolescence

Y a-t-il des ressemblances entre la crise de l'adolescence et la crise du milieu de la vie? Comment la personne de 48 ans rejoint-elle, lors de la crise du milieu de la vie, l'adolescent de 16 ans?

D'abord au niveau physique: l'adolescent et la personne dans la quarantaine essaient tous les deux de s'accommoder des changements physiques qui se présentent. L'adolescent voit son corps grandir et éprouve des difficultés avec ses pulsions sexuelles; il se sent gêné par son acné et par sa voix qui mue. La personne dans la quarantaine a aussi des problèmes physiques: son corps engraisse; ses muscles n'ont plus la fermeté et la souplesse d'avant; sa peau commence à pendre; ses cheveux blanchissent ou tombent. Lorsqu'elle court pour attraper une balle lancée par son enfant, elle se sent vite à bout de souffle. Elle sent avec consternation et angoisse une décroissance de sa capacité sexuelle et éprouve la tentation de faire semblant d'être encore jeune.

Au niveau psychologique

Si au niveau physique cette personne au milieu de la vie a des problèmes, elle en ressent encore plus profondément au niveau psychologique. Comment la personne au milieu de la quarantaine ressemble-t-elle alors à l'adolescent? L'adolescent a des énergies agressives débordantes. Il change d'humeur facilement et passe rapidement d'une grande joie à la mélancolie ou de l'enthousiasme à la dépression. Hier, il débordait d'énergie; aujourd'hui, il se traîne les pieds ou tourne en rond. L'adolescent se distingue aussi par ses grognements et ses plaintes. Il se plaint de l'école, de ses parents, de ses amis qui ne le comprennent pas. En fait, très peu de choses dans la vie semblent le satisfaire. L'adolescent voudrait parfois revenir à l'enfance et il éprouve de la difficulté à voir clairement où l'avenir le mènera. Son interrogation l'amène à s'analyser souvent et longtemps. On peut le voir, avec les écouteurs sur les oreilles durant des heures, se perdre dans la musique qu'il écoute. Il semble parfois être dans un autre monde.

«J'ai été trahie!»

La personne au milieu de sa vie, autour de la quarantaine, lutte avec des problèmes étonnamment semblables à ceux de l'adolescent. L'adolescent, avec anxiété, se pose la question: «Qu'est-ce que la sexualité?»; alors que la personne dans la quarantaine se pose avec angoisse la question: «Pour combien de temps encore la sexualité?» Sa fatigue physique et émotionnelle peut lui faire ressentir la peur de devenir impuissante, ce qui peut grandement occuper sa pensée comme à l'adolescence.

L'adolescent est souvent agressif. La personne qui vit sa crise du milieu de la vie éprouve souvent des sentiments agressifs envers la société, les jeunes, la famille et parfois même envers Dieu qu'elle trouve souvent injuste. Elle se révolte contre la vie.

Pareille à l'adolescent, la personne au milieu de la quarantaine subit des sautes d'humeur. À certains jours, tout va bien; le lendemain elle ne se comprend plus. Elle peut sauter dans son auto et rouler à vive allure pour être seule avec elle-même. Durant quelques mois, elle est d'une grande productivité; puis subitement, elle tombe dans une certaine léthargie en se disant: « À quoi bon tout cela? L'amour et l'amitié existent-ils vraiment? Puis-je faire confiance aux autres? J'ai tellement été trahie! »

L'adolescent se plaint souvent de tout et de rien. La personne en pleine crise du milieu de la vie se plaint à propos de ses enfants qu'elle trouve ingrats, de son conjoint qu'elle trouve froid et distant, de son emploi qu'elle trouve ennuyant, du travail à faire à l'intérieur comme autour de la maison, des taxes, de la politique, etc. Tout dans la vie semble mal tourner pour elle.

Comme l'adolescent de 16 ans en pleine crise ne voit souvent pas d'issue à ses problèmes, la personne au milieu de sa vie croit qu'elle ne s'en sortira pas. Perdue dans sa crise, elle se retrouve entre 38 et 50 ans, comme l'adolescent, centrée sur elle-même, absorbée en elle-même, solitaire, taciturne, désirant se changer les idées de toutes les manières, mais se sentant de plus en plus seule et parfois quasi désespérée.

Les amitiés

L'adolescent éprouve des difficultés dans ses relations sociales et ses amitiés. Parfois l'adolescent arrive à la maison avec un ami. Ses parents croient qu'il s'agit d'une amitié profonde et pourtant, quelques semaines plus tard, le jeune s'est chicané avec son ami.

En ce sens, la crise du milieu de la vie est comme une seconde adolescence. Cette personne dans la quarantaine qui avait de nombreux amis devient subitement agressive avec ses proches. Ses amis bouleversés ne la comprennent plus. Comme l'adolescent, elle déclare: « Laissez-moi tranquille. Je veux être avec qui je veux, quand je veux. Et surtout, je veux être seule. »

C'est le temps du désenchantement. La personne de 40 ou 50 ans est souvent désenchantée par les gens qui l'entourent. « On s'est servi de moi, on m'a utilisée! À quoi bon m'être sacrifiée pour mes enfants? Qu'est-ce que cela m'a donné? » À ce moment de la crise, elle peut lâcher ses amis et devenir antisociale. Elle peut à la fois aimer et faire mal à son conjoint. Elle a peur et ne se comprend plus.

La crise d'identité

L'adolescent et la personne au milieu de la vie vivent tous les deux une crise d'identité. Chacun demande à sa manière: « Qui suis-je? Qu'est-ce que je veux faire de ma vie? Quelles sont mes valeurs? »

Dans ces questions, nous remarquerons une différence à ne pas oublier. Le jeune de 16 ans pose la question en regardant l'avenir; alors que la personne de 40 ans et plus pose la question en regardant l'avenir, mais en se basant sur son passé, son vécu.

Parfois l'adolescent est très fâché de l'environnement qui a fait de lui ce qu'il est: son monde, ses parents, sa famille et même Dieu. La personne dans la quarantaine ne peut pas totalement blâmer l'environnement pour ce qu'elle est; ce qui la choque le plus, c'est de réaliser que ce qu'elle est profondément résulte des choix qu'elle a faits. D'une certaine façon, cela intensifie sa colère: « J'ai été naïve. Je me suis fait jouer. J'ai trop cherché la sécurité. J'ai eu peur de l'aventure. On m'a eue! »

Un dentiste de 46 ans exprime son amertume de cette façon: « Bien sûr, je me sens pris maintenant. Pourquoi ne le devrais-je pas? Il y a près de 25 ans, un jeune abruti sortant du collège a pris la décision que j'allais être un dentiste. Alors voilà que je suis dentiste. Je suis pris. Qui a dit à ce jeune homme qu'il pouvait décider ce que je devais faire pour le reste de ma vie? Je voudrais bien le savoir . . . »

La crise est nécessaire

Nous savons tous que l'adolescence est une partie importante du développement de la personne. Les parents doivent comprendre cette crise que passe l'adolescent et l'aider à devenir lui-même en le soutenant de leur mieux.

Comme l'adolescent, la personne dans la quarantaine a besoin d'être encouragée pour traverser sa crise. Ses amis doivent se tenir près d'elle pour la soutenir et l'encourager à ne pas fuir le processus de la crise. Ses amis doivent l'inciter à plonger dans cette solitude et cette angoisse afin qu'elle mûrisse pour arriver enfin à une autre étape de sa vie.

Deux moments-clés

Après la crise, il y a un changement et une nouvelle façon de voir la vie. L'adolescence et la crise du milieu de la vie sont deux moments-clés de la vie. Le jeune adolescent et la personne au milieu de la vie changeront après leur crise respective. S'ils ne régressent pas, s'ils osent passer à travers la crise, ils ne seront plus entièrement les mêmes par la suite.

Chacun (l'adolescent et la personne dans la quarantaine) abandonnera de vieilles manières de vivre, de vieilles façons de se voir et de voir le monde. La Bible dit: « Quand j'étais un enfant, je parlais, pensais et raisonnais comme un enfant. Mais quand je suis devenu un homme, mes pensées ont dépassé celles de mon enfance, et maintenant j'ai mis de côté ce qui était de l'enfant (1 Co 13, 11). »

La personne au milieu de sa vie a au moins un avantage de plus que l'adolescent. Elle peut maintenant se servir de son passé, évaluer toute sa vie et se donner de nouvelles directions à l'aide de l'expérience. L'adolescent ne peut pas se servir de cette expérience pour la simple raison qu'il ne l'a pas acquise encore.

Il y a par contre un danger auquel la personne entre 38 et 50 ans doit faire face et que l'adolescent n'a pas à affronter. La personne dans la quarantaine traverse ce changement de développement complexe dans le contexte immédiat de ses responsabilités quotidiennes. L'adolescent peut mettre ses écouteurs et, tout en écoutant sa musique, plonger dans un autre monde sans blesser personne. La personne au milieu de la vie ne peut se permettre cette évasion. Elle doit s'occuper de sa famille, maintenir sa productivité à son travail, payer ses comptes, continuer ses contacts communautaires. Elle a parfois envie de se sauver comme l'adolescent, de tout vendre et de partir sur les routes; mais elle a des responsabilités et se sent alors déchirée et angoissée. Elle doit composer avec la vraie vie qui l'entoure tout en se posant des questions bouleversantes. Elle doit continuer sa vie ordinaire tout en luttant avec ses conflits intérieurs.

Comment s'en sortir?

Il y a diverses manières de sortir de la crise du milieu de la vie. Certaines sont directes; elles attaquent le problème de front. En somme, le meilleur moyen d'éviter la peur de cette traversée houleuse de notre vie, c'est de l'entreprendre carrément.

N'oublions jamais que toute crise peut avoir du bon, du positif. L'adolescence est une saison de notre vie et le milieu de notre vie en est une différente. À l'hiver succède toujours un printemps prometteur. Oui, toute crise peut créer du neuf.

Durant cette crise du milieu de la vie, nous vivons une intense période d'évaluation. S'évaluer veut dire s'ouvrir le cœur et l'âme pour mieux se voir. Cela ne se fait pas sans douleur. Tout comme le médecin doit ouvrir le corps du patient pour extirper de son anatomie ce qui fait défaut, la personne du milieu de la vie doit aller au fond d'elle-même pour voir ce qui ne fonctionne plus correctement. Une fois cette opération accomplie, le patient et la personne du milieu de la vie retrouveront, plus souvent qu'autrement, un bien-être réconfortant et stimulant.

Le refus d'y entrer

Certaines personnes ne veulent pas entrer dans cette étape de leur vie. Elles fuient encore plus dans le travail, le plaisir, le divertissement et la sexualité.

La personne qui vit sa crise du milieu de la vie éprouve souvent une impuissance à rentrer en elle-même et redoute de se retrouver seule. Elle ressent alors douloureusement l'impossibilité de communiquer profondément avec les autres. Elle veut à tout prix demeurer jeune. Elle s'habille en jeune et nie le début de son vieillissement. C'est l'époque où l'homme s'achète une perruque et où la femme songe à se faire *remonter* le visage.

À ce moment, la personne court un peu partout pour échapper à elle-même. Elle essaie de s'amuser, mais se lasse de tout. Au fond, elle est incapable de vivre avec les autres tout comme elle se sent incapable de vivre seule. Pas plus qu'elle ne se supporte, elle ne supporte pas les autres. Comme l'adolescent, elle suit la mode, cherche du neuf, s'amuse et panique lorsqu'elle n'a rien à faire.

Il faudrait alors qu'elle entre en elle-même; qu'elle se pose les questions essentielles sur la vie, le sens de la vie, la spiritualité, etc. Parfois cela lui fait peur, car elle sait qu'un changement de comportement et d'attitudes s'impose.

Ce qui renaît

Cette période d'évaluation que nous vivons autour de la quarantaine est plus intense encore que celle de l'adolescence. Toutes sortes de choses éclatent. Voilà pourquoi dans ce temps de crise, au lieu de nous accrocher au passé, il vaut mieux observer ce qui est en train d'éclore sous nos yeux. Au lieu de voir ce que nous perdons, regardons ce que nous gagnons. Au lieu de nous attacher désespérément à ce qui meurt, attachons-nous à ce qui renaît. Toute crise, en effet, est l'occasion de voir ressurgir les conflits non résolus des étapes antérieures.

Cette crise est une lutte. Une lutte avec nous-mêmes, avec la vie et avec Dieu. Jacob n'a-t-il pas connu une lutte à finir avec Dieu? Dieu l'a blessé à la hanche. Après cette lutte et cette crise spirituelle, il ne sera jamais plus le même homme.

Comme Jacob, un jour Dieu nous blesse et nous paralyse! C'est souvent la grâce qu'il nous fait au milieu de notre vie.

N'oublions jamais que toute crise, toute épreuve est là pour nous *ramollir*, alors que nous voulons nous durcir. Elle est là pour nous ouvrir, alors que nous voulons nous fermer; pour nous mettre à nu, nous qui tenons à rester habillés; pour nous désarmer, nous qui nous cuirassons. L'adolescent porte un masque qu'il doit enlever pour arriver à la maturité, mais la personne dans la quarantaine porte une cuirasse qu'il lui faut enlever pour arriver à la vraie sagesse.

Selon Elliot Jacques, la crise du milieu de la vie est une étape cruciale. Dans la mesure où l'individu peut la vivre et la dépasser, il restera capable d'œuvrer, de créer. Mais cette crise implique que des deuils ont été possibles par rapport à l'enfance, la jeunesse. Il souligne: « Le paradoxe est que l'entrée dans le milieu de notre vie marque le début de la fin. La mort en est le terme. La mort n'est plus une idée en général, ou la perte de quelqu'un d'autre; elle devient une affaire personnelle, sa propre mort, le fait d'être soi-même réellement et vraiment mortel. » La résolution du conflit de la crise du milieu de la vie présuppose la rencontre avec l'idée de sa propre mort et l'acceptaton d'une certaine finitude de la vie.

C'est à ce propos qu'Elliot Jacques écrit encore: « Pour chacun d'entre nous, l'entrée dans la quarantaine est la période à partir de laquelle les nouveaux départs dans la vie cessent d'être possibles. Ce sentiment surgit de façon particulièrement poignante vers quarante-cinq ans. Le sentiment que la vie n'apportera plus de changement est anticipé lors de la crise du milieu de la vie. Ce qui a été entrepris doit être achevé. »

Après la crise

Parfois, il faut tout perdre afin de tout recommencer, être plongé dans la noirceur pour retrouver la lumière du jour. Il faut parfois tout perdre pour tout trouver, accepter d'être longtemps seul pour apprendre à entrer en communion profonde avec les autres. Il faut parfois tout rater pour tout reprendre à neuf, tout finir afin de tout recommencer.

Après la crise apparaît une nouvelle douceur jusque là inconnue. « L'âge du milieu de la vie, écrit Jean Guitton, est celui où la lumière du visage, sa phosphorescence, son irradiation, au lieu de venir de la nature et d'être, en somme, apparence, procède de l'expérience intime, des épreuves acceptées, de l'indulgence. » Au cours de cette période du milieu de la vie, l'on devient soudainement conscient de son âge. La résistance humoristique d'admettre clairement son âge, lorsque l'on dépasse trente-neuf ans, nous démontre que les chiffres quarante ou cinquante déclenchent en nous une peur instinctive de vieillir.

La crise du milieu de la vie, qui se ressent parfois comme une seconde adolescence, est souvent le signe du besoin de réconciliation avec sa vie. À ce moment de notre vie, l'agressivité remonte à la surface de notre être; le décès ou la maladie d'un parent peut réveiller une colère non assouvie et certains événements peuvent faire remonter à la surface des hostilités non reconnues. La colère contre ses parents ou la culpabilité refoulée résultant du penchant destructeur du passé peuvent atteindre un nouveau degré de conscience qui exige une guérison et une réconciliation profonde. Entre 38 et 55 ans; il y a un besoin de pardonner les torts et blessures du passé et de résoudre enfin les penchants destructeurs à l'intérieur et à l'extérieur de soi. Une telle réconciliation au moment de la crise du milieu de la vie pourra faire toute la différence entre une vieillesse sereine ou amère.

Cette réconciliation exigée au milieu de la quarantaine ou au début de la cinquantaine est la réconciliation avec soi-même et avec Dieu. Même des personnes consacrées à Dieu peuvent inconsciemment en vouloir à Dieu. À la fin de la crise du milieu de la vie, je dois arriver à me réconcilier avec mon passé, acceptant mes limites personnelles et mon état de pécheur d'une façon qui n'était pas possible avant cette crise. Pour entrer doucement dans la vieillesse, je dois faire une réconciliation intérieure avec moi-même et avec Dieu, qui doit parfois être accompagnée par la réconciliation avec des êtres que j'avais jugés: époux, épouse, père, mère, enfants, amis intimes, etc.

La crise du milieu de la vie coïncide souvent avec ce que les auteurs spirituels appellent la seconde conversion. Charles Péguy disait: « Quand à 20 ans, on est poète, on n'est pas poète, on est simplement un garçon de 20 ans, on fait des vers. Mais quand on est poète à 40 ans, alors oui, on est vraiment poète. » C'est la même chose au niveau spirituel: à 20 ans, à 30 ans, on croit aimer Dieu de tout notre cœur, mais il se mêle beaucoup de recherche de soi, de générosité humaine. Mais, lorsque nous avons passé les épreuves, les nuits de la sensibilité et de l'âme, et que la crise du milieu de la vie nous a fait perdre nos illusions et notre fausse générosité, alors il y a quelque chose qui vient de l'Esprit Saint. À ce moment de notre vie, Dieu peut travailler en nous par la puissance de son Esprit, parce que nous ne nous faisons plus d'illusions sur nous-mêmes, sur nos capacités de haine et d'orgueil, et nous savons que nous ne pouvons aimer Dieu et les autres qu'avec le cœur de Dieu qui viendra aimer en nous. Pour nous convertir vraiment, il faut faire l'expérience de notre impuissance à aimer. Cela ne nous arrive pas au début de notre vie spirituelle, mais bien souvent vers la « difficile quarantaine » ou au milieu de la cinquantaine. C'est une étape importante du cheminement humain et spirituel, et nous savons tous que de nombreux abandons de la vie religieuse se situent souvent vers cet âge-là.

Jean Lafrance, dans son ouvrage « Persévérants dans la prière », nous explique ce qui est arrivé à Tauler vers la fin de la quarantaine et qui a entraîné sa seconde conversion, en plein cœur de sa crise du milieu de la vie.

« Il est arrivé à Tauler une curieuse expérience autour de la quarantaine. Il était alors à l'apogée de son ministère de prédication dans lequel il réussissait à merveille. Un jour, il rencontre un homme de Dieu qui lui fait comprendre combien il se recherche dans son ministère où il y a de la vanité, voire même un certain orgueil, et cet homme lui conseille de se retirer dans la solitude pendant deux années pour s'adonner à la prière. Il a compris combien le fond de son cœur était double. Il dit lui-même qu'à la fin de ce temps de désert et de prière, il était devenu un homme nouveau. »

Et voilà comment Tauler explique son cheminement et celui de tout homme ou de toute femme qui veut devenir un vrai spirituel: « Quoique l'homme fasse, qu'il s'y prenne comme il voudra, il n'arrivera jamais à la vraie paix, il ne sera jamais un homme vraiment céleste, avant qu'il n'ait atteint sa quarantième année. Avant cet âge, il y a tant de choses qui occupent l'homme! La nature le pousse tantôt ici et tantôt là; elle prend des formes si diverses; et alors il arrive que la nature le gouverne et l'on pense que c'est Dieu. L'homme ne peut donc arriver à la paix véritable et parfaite et devenir un homme spirituel avant le temps. L'homme doit ensuite attendre dix ans encore, avant que lui soit accordé, en vérité, le Saint-Esprit. Alors même qu'à quarante ans, l'homme est devenu posé, et qu'il a vaincu sa nature, il faut encore dix ans, il faut que l'homme arrive à la cinquantaine pour qu'il soit transformé réellement (Sermon de Tauler, Tome I, p. 342). »

Après la crise, nous sommes aussi plus tolérants, plus miséricordieux envers les autres et envers nous-mêmes. Nous nous respectons davantage. Nous prenons le temps de prendre du temps. Nous nous occupons davantage de notre vie intérieure. Nous sommes alors capables de tout pardonner, de pardonner à nos parents, de nous pardonner à nous-mêmes, de nous laisser pardonner. Nous devenons moins possessifs. Nous pouvons laisser nos enfants partir sans regrets.

Après la crise du milieu de la vie, le cœur se liquéfie doucement; il entre dans l'automne de la vie qui préparera lentement l'hiver. « Contrairement à ce qu'on pense, a écrit Gilbert Cesbron, ce n'est pas la jeunesse mais l'hiver qui est la saison de l'espérance. » L'hiver de la vie, c'est le début de la vieillesse; elle en imite le dépouillement. Au bout de notre vie, après nous être réconciliés avec notre existence et notre passé, notre cœur de chair commence à battre dans notre poitrine et c'est alors que nous pourrons enfin dire avec Maurice Zundel: « Notre jeunesse est devant nous, car nous approchons de notre naissance. »

Que devenons-nous après cette seconde adolescence qu'est la crise du milieu de la vie?

Après cette crise, nous ne pouvons plus être tout à fait les mêmes. Un être nouveau est là qui vient au monde; comme le chante Jean Lapointe: « Maudit que c'est beau quarante-quatre ans, déjà au monde, venir au monde. »

C'est un nouveau départ. Si nous n'avons pas fui et si nous avons vraiment traversé cette crise, alors nous devenons enfin nous-mêmes. Une vie nouvelle nous attend. Nous assistons à une renaissance du cœur. Nous passons doucement du cœur de pierre au cœur de chair.

CHAPITRE VII

De la dépression à la fécondité

« Tous les gens de valeur
sont parfois déprimés.
Les gens vides et superficiels
ne font jamais de dépression. »

Walter Trobisch

Nous avons tous le cafard de temps en temps. La vie perd un peu de son intérêt. Nous devenons tristes et abattus. Certains vivent ces états à l'automne ou lorsque l'hiver tarde trop à mourir, c'est-à-dire vers février ou mars. D'autres vivront ces états autour des fêtes de Noël et du Nouvel An.

Ces « creux de la vague » sont normaux durant quelques jours. Mais si la crise de cafard, de tristesse et d'angoisse dépasse cinq ou six jours, la plupart des médecins disent qu'il est temps d'y voir.

Les origines de la dépression

La dépression est parfois le symptôme secondaire d'une maladie physique. Si nous souffrons d'un problème physique, il est important de le traiter. Souvent, la guérison de nos troubles physiologiques mettra vite fin à notre dépression.

Cependant, le simple fait de vivre dans la société actuelle incite plus facilement qu'autrefois à la dépression et au « burn out ». Nous avons, pour la plupart, nos périodes creuses, des périodes plus stressantes, plus troublées. Parfois, nous sommes trop perfectionnistes, trop idéalistes. Nous nous forgeons un idéal inaccessible que nous désespérons d'atteindre.

Attentes insatisfaites

Le « burn out » et la dépression mettent en cause des attentes insatisfaites. Nous sommes usés ou fatigués parce que ne s'est pas matérialisé ce que nous pensions devoir se produire. Les attentes insatisfaites ont trait fondamentalement à des récompenses qui étaient attendues, mais qui n'ont pas été reçues: des récompenses telles la joie, la louange, l'attention, un sentiment de satisfaction, un sentiment de bien-être ou de sécurité. Souvent, ces insatisfactions se produisent parce que les attentes sont trop élevées.

Certains événements dans la vie du prophète Élie se lisent comme une étude de cas d'un « burn out » ou d'une dépression parce que ses attentes ne se sont pas concrétisées. Dans ses relations avec la reine Jézabel, après sa grande victoire contre les prophètes de Baal et la fuite au désert qui en résulta, Élie a démontré de nombreux symptômes caractéristiques de ce que nous appelons aujourd'hui la dépression ou le « burn out ». Une étude des événements relatés dans le premier livre des Rois montre la cause de cet état et l'action de Dieu pour le corriger chez Élie. Appliquer ce programme de bien-être divin à notre propre vie peut engager le renversement de notre propre spirale dépressive.

Qui aurait pu penser qu'Élie souffrirait un jour d'une dépression? Comme Jacques (5, 17) l'explique, Élie était un homme semblable à nous, non pas un surhomme comme nous pourrions le croire.

Élie s'épuise

Comme il fuyait de Yizréel vers Beersheba pour sauver sa vie, il devint probablement de plus en plus déprimé, de plus en plus épuisé physiquement. Cela se conçoit bien: émotivement, ce qu'il attendait de Jézabel ne s'était pas matérialisé; spirituellement, il avait préféré s'en remettre au peu de forces physiques qu'il lui restait plutôt qu'à sa dépendance envers Dieu.

Il aggrava le problème en abandonnant son serviteur et en se retirant seul au désert. Sans ami, sans personne pour l'aider ou l'encourager, il fut submergé par le désespoir et s'apitoya sur son sort.

Notons attentivement, au premier livre des Rois, les émotions vécues par Élie au moment où il vint s'asseoir sous un genêt et souhaita mourir: « C'en est assez maintenant Yahvé! Prends ma vie, car je ne suis pas meilleur que mes pères. Il s'étendit alors et s'endormit. »

Élie se sentait détaché et isolé de tous. Sa pensée était centrée sur lui-même. Il était obsédé par un désir de mieux réussir que ses ancêtres. Établir et chercher à atteindre des objectifs irréalistes ont mené Élie au « burn out » et à la dépression. Cela a fréquemment le même effet aujourd'hui.

Les symptômes de « burn out » chez Élie

Une foule de symptômes reliés au « burn out » sont exprimés au verset suivant: « Je suis rempli d'un zèle jaloux pour Yahvé Sabaot, parce que les enfants d'Israël t'ont abandonné, qu'ils ont abattu tes autels et tué tes prophètes par l'épée. Je suis resté, moi, seul et ils cherchent à m'enlever la vie (1 Rois 19, 10). »

Retenons les symptômes suivants:

L'égocentrisme. L'égoïsme d'Élie était lié à son sentiment de fidélité. Finalement, Dieu rappela au prophète qu'il n'était pas le seul à être resté fidèle et qu'il y en avait encore 7 000 autres qui n'avaient pas adoré Baal. À ce moment toutefois, Élie pensait être le seul. Sa généralisation hâtive de l'apostasie d'Israël n'était que partiellement vraie.

Ressentiment et amertume. Il était irrité du fait que les autres avaient abandonné Dieu et l'amertume drainait beaucoup de ses énergies émotives.

Sentiment de paranoïa. Le prophète dit: « Ils cherchent à m'enlever la vie. » Il semble qu'Élie ait transposé une menace de mort en une croisade nationale pour l'assassiner.

Apitoiement sur son sort. Notons l'accent sur le « je » dans les paroles d'Élie.

Ressentiment et colère contre Dieu. Dieu n'avait certainement pas besoin de se voir rappeler le zèle d'Élie pour son Nom. En demandant de prendre sa vie (v. 4) et en se plaignant « ils cherchent à m'enlever la vie » (v. 10), il démontrait son insatisfaction et son manque de confiance quant au contrôle suprême de Dieu sur sa vie ainsi qu'un désir d'avoir un contrôle personnel au moment où sa vie s'achèverait.

Toutes ces émotions seront sans doute ressenties par un obsessif-impulsif victime de « burn out ». Puisqu'Élie était un homme semblable à nous, nous voyons aisément comment une étude de sa dépression peut nous aider à faire face à la dépression d'aujourd'hui.

Un candidat à la dépression

Parfois lorsque nous lisons la Bible, nous sommes tellement portés à idéaliser les prophètes que nous oublions qu'ils furent des hommes comme nous avec leurs peurs, leur fragilité, leur égoïsme et leurs angoisses.

Pour bien comprendre, analysons un peu la dépression du prophète Élie. Dans le premier livre des Rois, au chapitre 19, nous pouvons lire: Élie eut peur, il se leva et partit pour se sauver. Puis il marcha dans le désert un jour de chemin et il alla s'asseoir sous un genêt. Alors il souhaita mourir et dit: « C'en est assez maintenant, Yahvé, c'en est assez. Prends ma vie car je ne suis pas meilleur que mes pères. »

Remarquons que c'est quelque temps seulement après sa période de réussite, d'apostolat et de victoires que vont venir le découragement et la noirceur.

La Bible nous dit que: 1. « il eut peur »; 2. « il se sauva »; 3. « dans le désert »; 4. « qu'il alla s'asseoir »; 5. « qu'il souhaita mourir »; 6. « qu'il dit: « C'en est assez, prends ma vie. »

La dépression et le « burn out » d'Élie surgissent à un moment significatif. Il vient de livrer un des grands combats de sa vie. Dans cet état d'épuisement, à la suite des menaces de Jézabel, il connaît une grave tension psychologique. Il est dépassé, sinon submergé par l'épreuve. Seule subsiste la réalité de sa défaite et de son échec. Face à cette évidence insupportable, la fuite et la mort sont les seules issues qu'il entrevoit.

À l'arrière-plan de la condition d'Élie se retrouvent les six composantes d'un état dépressif. Elles sont fréquentes lors de la crise de la quarantaine ou du « milieu de la vie ». Parlons de ces composantes:

1. *La révolte contre la vie* mêlée à un sentiment d'injustice et d'abandon. Le sentiment d'avoir été joué ou utilisé par les autres ou par Dieu. Subtilement, la personne accuse Dieu. À deux reprises, Élie dit: « Je suis resté, moi, seul. »
2. *L'amertume* d'avoir accepté de rendre un service exigeant — un total investissement de soi-même sans cesse renouvelé — et d'aboutir après des années à cette faillite. « Comme j'ai été naïf ! »
3. *Une dévalorisation de soi*, de son apostolat, de son travail, de son témoignage. « Qu'est-ce que cela a donné? » Rien, apparemment.
4. *Une vive angoisse de la réalité* ramenée aux seules dimensions de ce que l'homme peut concevoir. Une vue pessimiste de l'avenir, un manque d'espérance.
5. *Une tristesse profonde*, la perte du sens de l'humour, la dramatisation de tout ce qui arrive, la pensée que la mort est préférable à la vie, que la vie est stupide et ne vaut pas la peine d'être vécue.
6. *Un état d'angoisse*. La personne ne peut plus penser, ni même prier. Elle se laisse couler, se laisse vivre. Elle se voit à la merci de la fatalité.

Comme nous pouvons le voir, Élie était un vrai candidat à la dépression: il était fatigué physiquement et émotionnellement. La Bible nous dit qu'il vivait du ressentiment, de la tristesse, de l'angoisse et de la culpabilité.

Élie finit par regarder les événements passés et présents de sa vie d'une manière négative. À ce moment-là, il faut bien comprendre qu'Élie regarde davantage ses sentiments que la réalité. Remarquons que lorsque nous sommes déprimés, nous nous centrons plus sur nos sentiments que sur les faits et la réalité. Élie, au lieu de se dire: « Je me sens comme une faillite et un bon à rien », affirme: « Je suis une faillite et un bon à rien. »

Souvent, une personne sujette à la dépression est portée à se comparer aux autres. « Si j'étais comme lui, comme elle... Si j'avais son talent, je vivrais heureuse. »

Il faut retenir une autre chose également: Élie endosse tout. Il pense que si les gens ne se sont pas convertis, c'est de sa faute. Il se referme sur lui-même et se culpabilise.

Les causes de la dépression

Nous allons maintenant essayer de voir d'autres causes à la dépression d'Élie et voir comment cela pourra nous aider à comprendre des choses dans notre vie.

La première cause de la dépression d'Élie, c'est qu'il a été trop impulsif et que, tout d'un coup, il a décidé de se sauver. Il venait de recevoir le message de Jézabel disant qu'elle voulait le tuer et il a pris peur soudainement.

Élie n'a pas pris le temps de réfléchir, de prier, de discerner. Il s'est trop fié à ses sentiments. Il s'est sauvé et un peu plus tard, réalisant son geste, il s'est déprécié en se rejetant. « Quel lâche j'ai été, se dit-il, moi à qui Dieu avait donné tant de grâces. Je me suis sauvé de mon devoir. J'ai eu peur. Je suis un bon à rien. »

La seconde cause de la dépression d'Élie est attribuable à un déséquilibre émotionnel survenu après avoir reçu de grandes grâces. Nous savons que la dépression fait souvent suite aux « expériences sur la montagne ». Élie en est la preuve à la fois symbolique et littérale. Il connut ses plus grands hauts sur le sommet du mont Carmel. Remarquons bien que, lorsque dans le domaine des émotions nous connaissons des hauts, nous faisons tout aussi vite l'expérience des bas.

Son état de surmenage mental et nerveux est la troisième cause de la dépression d'Élie. La dépression coïncide souvent avec l'état d'épuisement physique et affectif. L'être humain ne peut qu'agir dans le cadre de certaines limites psychologiques et physiologiques. Lorsque nous repoussons ces limites, nous en supportons les conséquences inévitablement. Et si nous ne récupérons pas et ne refaisons pas nos forces, nous ne pourrons reprendre un rythme normal.

Pendant trois ans et demi, Élie avait connu une formidable tension apostolique et avait atteint le point culminant du combat, dans l'éclatante victoire du Carmel contre les prêtres de Baal (1 Rois 18).

Après la tension ressentie lors de son expérience sur le mont Carmel, Élie était donc épuisé. Il était allé bien loin au-delà des limites normales pour un être humain et, lorsqu'il se vit menacé par Jézabel, il n'eut plus assez d'énergie pour continuer la lutte. Voilà pourquoi il fuit. Alors qu'ordinairement il pouvait résister émotionnellement, il était maintenant arrivé au bout du rouleau.

Lorsque dans notre vie, nous connaissons des hauts émotionnels, que nous vivons de grandes périodes de tension et d'hyperactivité, nous devrions être prêts à en assumer les conséquences. Nous arriverons éventuellement dans un bas émotionnel, surtout si nous avons épuisé nos réserves physiques et psychologiques. Nous tomberons alors dans un état de grande fatigue.

Il faut aussi nous rappeler que les désillusions et les désappointements provoquent la dépression.

Fatigue et épuisement

Une autre cause de la dépression peut être attribuable à la fatigue physique, à la faim et au manque de sommeil. Nous avons vu que la tension émotionnelle qu'Élie avait vécue avec les faux prophètes l'avait épuisé. Et, avant qu'il eut le temps de dormir, de manger et de récupérer, voici qu'il reçoit le message de Jézabel disant qu'elle va le tuer.

Lorsque nous sommes fatigués, les choses et les événements deviennent énormes à nos yeux. De petits problèmes prennent des proportions gigantesques et de simples difficultés paraissent d'une complexité terrible. Nous ne pouvons pas voir la lumière au bout du tunnel. Tout comme Élie, nous arrivons au bout de notre rouleau.

Les remèdes de Dieu

Quels remèdes Dieu va-t-il prendre pour qu'Élie passe à travers l'automne de sa vie apostolique?

Dans un premier temps, Dieu restaurera son être physique. En tant qu'humains, nous devons savoir que Dieu nous a créés avec une personnalité constituée de plusieurs facettes. Il y a en nous les aspects physique, psychologique et spirituel. Ces trois dimensions de notre être sont intimement liées. N'oublions pas que lorsque nous ne sommes pas en bonne forme physique, nous en ressentons les effets dans notre vie psychologique et spirituelle. Lorsque nous sommes soumis à une tension psychologique, nous sommes souvent affectés dans notre vie physique et spirituelle. Lorsque nous avons des problèmes spirituels, ceux-ci touchent aux dimensions physique et psychologique de notre personnalité.

À ce moment-là dans la vie d'Élie, tous ces facteurs entraient en ligne de compte. Le prophète Élie se trouvait dans un état d'épuisement physique réel. La tension psychologique à laquelle il avait été soumis l'écrasait, de sorte qu'il ne voyait plus la situation sous son vrai jour.

Manger et se reposer

Il est intéressant de noter que Dieu entama le processus de guérison d'Élie par une restauration physique. Nous lisons dans la parole de Dieu qu'il le fit manger et se reposer.

« Alors Élie se coucha et il s'endormit. Mais voici qu'un ange le toucha et lui dit: « Lève-toi et mange. » Il regarda et voici qu'il y avait à son chevet une galette cuite et une gourde d'eau. Il mangea et but, puis il se recoucha. Voici que l'ange de Yahvé revint une seconde fois, le toucha et dit: « Lève-toi et mange encore, autrement le chemin sera « trop long pour toi. » Élie se leva, mangea et but, puis soutenu par cette nourriture, il marcha encore quarante jours et quarante nuits, jusqu'à la montagne de Dieu, l'Horeb (1 Rois 19, 7-8). »

Souvent lorsque nous sommes angoissés et que nous voyons tout en noir, la première chose à faire, c'est de dormir, nous reposer et bien manger. Il s'agit alors de rééquilibrer notre vie: prendre de l'air, faire un peu d'exercice, dormir suffisamment, examiner notre régime alimentaire, etc.

On raconte qu'un jour une sœur dit à sainte Thérèse d'Avila: « Ma Mère, une de nos sœurs a des visions, que devons-nous faire? » Et sainte Thérèse de répondre avec son sens d'équilibre et d'humour: « Arrêtez-lui son jeûne, donnez-lui du bon poulet, et si ses visions persistent, vous me l'amènerez. »

Dans des cas de dépression, il faut d'abord regarder le côté physique et l'équilibre de vie; c'est par là que nous devrions commencer si nous souffrons de dépression ou d'un problème émotionnel. Cet aspect peut ne pas être la principale cause de notre problème, mais c'est par là qu'il faut commencer. Il se peut fort bien que le manque de sommeil, le régime alimentaire et le déséquilibre de notre vie soient à la base de notre état dépressif.

Nous devons nous détendre et nous reposer suffisamment, faute de quoi nous allons au devant des difficultés. Il est des périodes où il nous faut dépenser des sommes considérables d'énergie physique et psychologique et, si nous ne prenons pas le temps de nous reposer, nous courons le risque de perdre pied et de nous épuiser en efforts improductifs.

Pour bien illustrer cet aspect, Gene A. Getz nous raconte ce qui suit: « Deux hommes entreprirent un voyage à travers le Grand Nord avec deux meutes de chiens. L'un d'eux décida de s'arrêter et de faire reposer ses chiens un jour par semaine; l'autre, au contraire, de faire le voyage d'une seule traite.

« Au bout de la première semaine, le premier s'arrêta comme prévu et fit reposer ses chiens toute la journée. L'autre poursuivit sa route. À la fin de la deuxième semaine, le voyageur qui avait fait reposer ses animaux rattrapa presque l'autre. Mais encore une fois, lui et ses chiens firent halte pour se reposer le septième jour.

« À la fin de la troisième semaine, le premier voyageur dépassa celui qui ne s'était pas arrêté et pour finir, arriva à destination avant l'autre.

« Le besoin de repos qu'a le genre humain fait partie des lois physiques, psychologiques et spirituelles édictées par Dieu. L'expérience le prouve[1]. »

Exprime tes émotions

Un autre moyen que prit Dieu pour sortir Élie de sa dépression fut de lui faire exprimer ses émotions, ses déceptions et sa souffrance. Dieu permit à Élie de laisser éclater ses sentiments sans le juger.

Lorsque quelqu'un est déprimé, nous ne devons pas lui dire : « Ne pense pas à cela, laisse faire le passé et sois positif », car au lieu de l'aider à guérir, nous refoulons ou réprimons le problème.

Qu'est-ce que Dieu fait avec Élie? « Que fais-tu ici, Élie? » Et voici qu'Élie laisse éclater son amertume, sa souffrance et sa déception : « J'étais rempli de zèle jaloux pour Yahvé, parce que les enfants d'Israël t'avaient abandonné et abattu tes autels. Je suis resté seul et ils cherchent maintenant à m'enlever la vie (1 Rois 19, 9-10). »

« Tout le monde me laisse seul! » « Ils sont tous contre moi! » Voilà des idées qui reviennent souvent chez les personnes déprimées.

Lorsque nous sommes déprimés, nous avons besoin de quelqu'un qui nous écoute sans nous juger. C'est souvent une démarche très importante et indispensable à la guérison. Lors d'une dépression, nous éprouvons le besoin de faire part de nos sentiments de façon ouverte et honnête. Nous ne voulons pas être jugés et rejetés, mais seulement écoutés.

1. Gene A. Getz, «*Sous pression*», Éditions Vida, p. 145.

Nous savoir acceptés par quelqu'un en qui nous avons confiance peut souvent dissiper des sentiments d'anxiété et de dépression. Cependant, nous avons besoin de quelqu'un qui non seulement nous écoutera, mais aussi réagira avec amour, bonté et compréhension. Grâce à sa relation avec Dieu, Élie fit aussi cette expérience. Dieu l'a d'abord accepté, puis il lui a fourni des solutions.

Une chose surprenante dans la dépression d'Élie comme dans la plupart des dépressions, c'est que la colère et l'agressivité se cachent toujours au fond de la personne. Extérieurement, elle paraît douce, bonne et maîtresse d'elle-même; mais nous pouvons être assurés que la révolte gronde à l'intérieur de cette personne.

Les gens déprimés reconnaissent rarement l'agressivité et la colère présentes en eux. Ils disent par exemple: « Les gens ne me comprennent pas. Je n'ai pas le goût de quoi que ce soit, j'ai seulement le goût de dormir. J'aimerais mourir. »

Si nous ne les aidons pas, ces personnes demeurent souvent incapables de prendre conscience de leur colère et de leur agressivité.

La plupart des personnes déprimées cachent en elles une grande dose de colère inavouée. Elles ont peur d'y faire face; mais une fois qu'elles l'ont reconnue et ont commencé à en prendre conscience, elles sont en bonne voie de guérison. Ces personnes ont souvent besoin de se réconcilier avec quelqu'un. Elles ont également le besoin d'accepter leurs limites et la réalité de la condition humaine[2].

---

2. Lorsque des personnes qui paraissaient fortes et d'un équilibre quasi trop parfait tombent dans une dépression, on peut penser que leur « sécurité » vient de s'effondrer car elles ne peuvent plus cacher leur fragilité derrière leur personnage. Au plus profond de la personne, il y a la peur de la faiblesse et le refus de ses limites cachés derrière un besoin d'être admiré ou de surpasser les autres. Karen Horney l'explique ainsi: « J'ai souligné la *sécurité* que procure parfois une tendance névrotique cachée. Qu'il nous suffise ici de les passer en revue:

1- Besoin névrotique d'affection, d'approbation et de puissance.

2- Besoin d'être admiré pour soi, infatuation de soi (narcissisme), besoin de contrôle de soi et des autres.

3- Besoin de surpasser les autres, non par ce qu'on est, mais par ses occupations.

4- Besoin de perfection. Sentiment de supériorité sur les autres justifié par la certitude de sa propre perfection.

Accepter la réalité comme elle est, sans pour autant tomber dans la passivité, le découragement ou la révolte, voilà le premier acte d'humilité qui nous met sur le chemin de la guérison.

Il en fait un père

Une autre chose que Dieu fait pour guérir le prophète Élie: il lui donne un nouvel apostolat et lui demande de devenir un père et un ami pour un jeune disciple. Yahvé lui dit: « Va, retourne par le même chemin, vers le désert de Damas. Et là, tu iras oindre Hazaël comme roi d'Aram. Tu iras oindre Jéhu, fils de Nimshi, comme roi d'Israël; et tu oindras Élisée comme prophète à ta place (1 Rois 19, 15). »

La dépression d'Élie l'amène à découvrir ses dons et à en développer d'autres. Une dépression, surtout si elle arrive durant la crise du milieu de la vie, est souvent l'occasion de voir ses limites et de les accepter. Une dépression et un « burn out » peuvent être pour un apôtre l'occasion d'un nouveau départ, d'un nouvel apostolat, d'un nouveau ministère.

La thérapie divine comprenait donc une quatrième démarche pour traiter la dépression d'Élie: « Il donna à Élie un compagnon, un ami et un fils spirituel du nom d'Élisée (1 Rois 19, 12-21). » Lorsqu'Élie « jeta sur lui son manteau », Élisée sut que Dieu l'avait appelé à devenir le fils spirituel et l'adjoint d'Élie.

Les relations qui existèrent entre Élie et Élisée présentent des points d'application pour nos vies. Tout être humain a besoin d'amis, de personnes avec qui il est possible d'entretenir des contacts plus profonds qu'avec celles qui ne sont que de simples connaissances. C'est un moyen créé par Dieu pour nous aider à garder notre équilibre psychologique.

5- Peur de l'intimité, peur de l'amour. Besoin de se suffire à soi-même et d'être indépendant. Terreur inconsciente d'avoir besoin des autres. » Karen Horney, « *L'Auto-analyse* », Éd. Stock-Plus, 1978, pp. 44 à 48.

Élie eut la joie d'entraîner un successeur, un « fils spirituel », Élisée. Il sorti de sa dépression en devenant fécond, en s'engageant dans un nouvel apostolat et en donnant son « esprit » à un plus jeune. Il cessa de regarder le passé pour s'engager vers l'avenir en faisant confiance à la jeunesse.

Pour résumer

La dépression est souvent une occasion de faire la découverte de soi et d'entrer dans l'humilité véritable. Thérèse d'Avila a écrit: « Dieu est la suprême Vérité, et l'humilité, c'est d'être dans la vérité. » Si l'humilité est la vérité, elle est également cette vraie connaissance de soi par laquelle nous voyons aussi bien nos talents et nos qualités que notre pauvreté, nos limites et nos blessures.

La dépression peut nous aider à devenir humbles parce que la vérité, c'est d'accepter ses limites. La vérité, c'est d'être ce que nous sommes et devenir ce que nous devons être. L'homme qui accepte ses torts, qui accepte la réalité, qui prend le risque de la vérité — et de ce fait, expérimente sa petitesse — obtient une chance de devenir lui-même.

Pour l'homme orgueilleux — et nous le sommes tous —, c'est souvent une grâce de vivre une dépression et d'expérimenter le vide, la pauvreté, la nuit. La dépression nous apprend qu'aimer et réussir ne sont pas nécessairement parallèles.

Après une dépression et à la sortie de la crise du milieu de la vie, nous devrons apprendre à nous accepter, à aimer notre petitesse et à supporter notre faiblesse et nos défauts. Quand l'angoisse et notre propre pauvreté deviennent un tremplin vers la confiance et l'abandon total à Dieu, alors commence la seconde partie de notre vie spirituelle et apostolique. Nous avons de fortes chances que notre cœur de pierre se change en cœur de chair à partir de ce moment privilégié de notre vie.

CHAPITRE VIII

Du désir d'être aimé à la joie de s'aimer

« Quiconque aime son prochain
mais ne s'aime pas lui-même,
montre que son amour du prochain
n'est pas authentique. »

Érich Fromm

Selon la Bible, nous devons aimer les autres comme nous-mêmes et comme Dieu nous aime. En d'autres termes, il y a un lien intime entre l'amour vrai que nous avons pour nous-mêmes et l'amour que nous avons pour Dieu et les autres. Si nous ne nous aimons pas, tous nos liens relationnels en souffrent.

Dans son essai intitulé « L'Acceptation de soi-même », Romano Guardini écrit: « Le fait de s'accepter soi-même est à la racine de tout. Il me faut consentir à être qui je suis. Consentir à avoir les qualités que j'ai. Consentir à vivre à l'intérieur des limites auxquelles je me heurte... Cette acceptation nette, courageuse, est le fondement de l'existence entière. »

Il est difficile de s'accepter tels que nous sommes et peu de gens y parviennent. Certains chrétiens pensent que la foi catholique enseigne que l'humanité n'est pas seulement blessée, mais foncièrement mauvaise suite au péché originel. Les effets de cette conception erronée marquent souvent leur vie. Ces gens détestent la vie parce qu'ils se détestent eux-mêmes.

La source de la colère

Une personne qui ne s'aime pas est souvent une personne qui a peur. Elle est souvent agressive et colérique parce qu'elle a peur d'aimer et d'être aimée. N'oublions pas qu'une des causes les plus fréquentes de l'agressivité ou de la colère est la peur, surtout la peur d'être rejeté.

Une personne qui ne s'aime pas et qui ne se sent pas aimée est également possessive, arrogante, voire même dépendante. Nos fausses attentes prédisposent à la colère intérieure ou à l'agressivité extérieure. La personne qui a manqué d'amour voudrait un monde parfait, des gens sans défauts. Si quelqu'un de son entourage la déçoit, elle se dit: « Je le savais. Je ne peux pas faire confiance à personne en ce monde. »

Ce même type de personne, ayant manqué d'amour et ne s'aimant pas, peut réagir de façon contraire à la personne dépendante. Elle se présente comme une personne forte, répondant à toutes les questions, ayant l'air très sûre d'elle-même. Elle est au-dessus des autres et s'acharnera à vouloir absolument aider les autres en se penchant sur leur détresse[1]. Elle ressent le besoin de passer pour une personne généreuse et dévouée, mais elle manque intérieurement de sécurité. Cette personne ne s'aime pas, mais elle ressent le besoin d'aider les autres. Les autres deviennent pour elle un besoin et un moyen de se sentir quelqu'un.

Comme l'exprimait si bien Françoise Dolto: « Si celui qui a été charitable garde en lui une exigence vis-à-vis de celui qu'il a un jour aidé, s'il en attend de la reconnaissance, il prouve qu'il cherchait à acheter quelqu'un et qu'il n'était donc pas charitable.

« Combien de fois n'entend-on pas des gens convaincus d'avoir été charitables ou d'avoir donné, reprocher ensuite aux autres de manquer de reconnaissance: « Quand je pense « à tous les sacrifices que j'ai faits pour toi . . ., maintenant « tu me laisses. » « Quand je pense à tout ce que j'ai fait pour « cet homme, et maintenant il m'abandonne. » Celui qui pense ainsi n'a jamais été vraiment charitable. Il se recherchait lui-même dans ses actes de charité. »

---

1. « Une des fonctions du rôle ou du masque est de cacher à la personne elle-même certains aspects de sa personnalité qui lui sembleraient trop douloureux ou effrayants à voir ou à confronter. La personne au masque souriant ne veut pas sentir la tristesse qu'elle s'évertue à cacher. Dans notre culture, rares sont ceux qui ont le courage d'être eux-mêmes. La plupart des gens adoptent des rôles, jouent des jeux, portent des masques ou érigent des façades.

« Les gens assument fréquemment le rôle de sauveteur. Le sauveteur est une personne dotée d'une structure caractérielle qui la met « là », sur le terrain, disponible aux autres, pour répondre à leurs besoins, parfois même à ses propres dépens. La structure corporelle du sauveteur est extrêmement rigide. Il ne peut se permettre de s'effondrer car les autres s'appuyent sur lui. Il se tient épaules raides et hautes, persuadé qu'il doit porter le poids et le fardeau des problèmes d'autrui. Une des caractéristiques de ce genre de personnalité est l'incapacité de demander de l'aide; en effet, cela serait avouer faiblesse et besoin. Le sauveteur ne pleure pas facilement. » Alexander Lowen, « La peur de Vivre », Épi, 1983, pp. 76 à 79.

Elle s'attend à un rejet

La personne qui ne s'accepte pas, qui ne s'aime pas et ne se sent pas aimée, paraîtra soumise extérieurement ou très forte et agressive. Il y a un vieux dicton qui dit que la personne la plus fâchée au monde est en réalité la personne la plus effrayée. Je crois qu'il s'agit là d'une grande vérité.

Souvent, la personne qui veut toujours avoir raison et qui donne libre cours à son indignation, à sa colère et à son agressivité, souffre fondamentalement d'une insécurité et d'une frayeur. Une telle personne n'a pas confiance aux autres parce qu'elle se méfie d'elle-même. Elle suppose toujours d'avance que les autres sont hypocrites et qu'elle ne sera pas acceptée réellement.

Une telle personne qui ne s'aime pas, s'attend à un rejet. Méfiante, sur ses gardes, elle est très sensible aux déclarations négatives, réelles ou imaginaires. Elle se prépare à attaquer l'autre parce qu'elle croit que l'autre va nécessairement l'attaquer.

Cette personne se sent très mal à l'aise dans les gestes de tendresse. Elle tend à voir dans ces gestes une connotation sexuelle. Ayant besoin d'amour et n'osant croire que c'est possible, elle le rejette d'avance.

Les substituts à l'amour

Nous pouvons affirmer en général que lorsqu'une personne ne s'aime pas et ne se sent pas aimée, les choses et les événements tendent à prendre une très grande importance dans sa vie. Ces choses peuvent être la domination, le plaisir, la possession, le travail, l'influence sur les autres, la considération et une foule d'autres substituts[2].

2. « Par manque d'amour, certaines vies apparemment pleines sont vides. Certains prêtres, quand arrive la quarantaine, en font l'aveu: ils ont connu une activité débordante et soudain, laissés à eux-mêmes ils ont le vertige. Que s'est-il passé? Ayant mûri dans une action où ils sont devenus maîtres, ils ne l'ont pas laissée jaillir des sources les plus intimes de l'amour. Ils sont d'admirables organisateurs, mais leur cœur est froid et leur pensée n'a pas d'intériorité. Il leur

Pour lutter contre le sentiment d'insécurité, la personne qui ne s'aime pas va construire une image idéalisée d'elle-même. Alfred Adler disait que nous recherchons à nous sentir supérieurs pour répondre à notre sentiment d'infériorité. C'est Karen Horney, à mon avis, qui a le mieux défini la notion « d'image idéalisée »: « La personne qui ne s'aime pas et ne parvient pas à vivre avec son « moi réel » va se créer un « faux moi ». Elle va vouloir projeter l'image de l'homme ou la femme parfaite, équilibrée, qui a réponse à tout, qui peut tout prendre en mains, tout entreprendre. Au fil des années, la personne abandonne son « moi réel » pour adopter l'image idéalisée. De toutes ses forces elle cherche à se conformer à cette image et à l'entretenir[3]. »

D'après Karen Horney toujours, on peut désigner trois caractéristiques malsaines de l'effort de reproduction de l'image idéalisée: 1. une ambition dévorante; 2. le perfectionnisme; 3. l'agressivité refoulée.

L'ambition dévorante pousse à établir des objectifs souvent inaccessibles. Il ne suffit pas de bien faire; il s'agit

---

manque le renouvellement d'un amour personnel. Tel autre prêtre passe pour la personnalité la plus marquante du groupe auquel il appartient. Tout lui réussit. Mais quand il se confie dans l'intimité, il apparaît comme quelqu'un qui ne s'est ainsi affirmé en tout sens que pour masquer la peur qu'il a de lui. Il joue le rôle qu'on atttend, et il le joue très bien. En réalité son action ne sort pas de son être. » Jean Laplace, « Le Prêtre », Éd. du Chalet, 1969, p. 119.

3. Alexandre De Willebois, dans son volume, « La Société sans père » explique ce qui arrive aux enfants qui n'ont pas eu d'enfance et qu'on a forcé à devenir trop vite adulte:

« Un enfant à qui on présente en permanence une image de soi tronquée, un enfant à qui on impose trop tôt un rôle, dont on attend des résultats qu'il ne peut fournir, un enfant qu'on force à devenir trop vite adulte, un tel enfant pourra être accablé de sentiments d'infériorité et développera une haine de soi inconsciente.

« Afin de se valoriser, il se peut qu'il choisisse de se débarrasser de son Moi réel et cherche à un âge plus avancé, à s'affirmer grâce à une personnalité empruntée. C'est-à-dire une façade reposant sur une pseudo-personnalité spectaculaire par laquelle on tente de forcer l'admiration de son entourage. C'est alors la solution narcissique, la quête de la gloire. »

Son manque d'amour se cache sous sa fausse assurance. Karen Horney explique ainsi la personnalité blessée qui se cache en lui: « Dans ses activités et ses projets il glorifie et cultive tout ce qui l'achemine vers le contrôle. La domination d'autrui se manifeste en lui par ce besoin de se percevoir supérieur. Il a comme une incapacité à entretenir des relations d'égalité. Une telle personne doit commander, sinon elle se voit complètement perdue et impuissante. »

d'être le meilleur ou le plus grand, et cela quel qu'en soit le prix. La personne se fatigue vite car elle vit alors sous une pression constante. Il lui faut être parfaite, car, en fait, c'est la perfection qu'elle cherche à atteindre. Mais ce mouvement engendre en elle une grande agressivité. En effet, puisqu'à un moment donné il lui est impossible de se conformer à l'image idéalisée et qu'elle ne peut plus en attribuer le blâme au « moi réel » qu'elle a refoulé, elle se retourne contre son entourage pour l'accuser de faire obstacle à son projet perfectionniste et dominateur; elle lui en veut et cherche, si possible, à l'humilier en se présentant comme victime innoncente.

Les enfants qui ne reçoivent ni amour ni affection de la part de leurs parents ont beaucoup de difficulté à posséder la confiance en eux-mêmes. Il en résulte un besoin excessif d'estime de soi. Karen Horney souligne que ce besoin se manifeste alors de quatre façons:

1. Le « besoin névrotique de puissance ». La domination sur les autres est recherchée pour elle-même. La personne cherche à dominer soit au moyen de l'intelligence, du service, ou grâce à la volonté et à l'apparence de force.

2. Le « besoin d'estime sociale et de prestige ». La personne fait tout pour attirer l'attention sur elle et pour être acceptée. Elle jugera autrui selon son efficacité et sa capacité à gagner l'estime de son entourage.

3. Le « besoin d'être admiré pour soi ». Les individus qui n'ont pas reçu l'affection et la tendresse durant leur enfance compensent souvent ce manque en édifiant une image idéalisée d'eux-mêmes qui se nourrit de l'admiration d'autrui.

4. Le « besoin de réussite personnelle ». Le ressentiment des parents et surtout du père a suscité en ces personnes le « besoin de surpasser les autres ». Elles veulent être les meilleures dans tout ce qu'elles entreprennent, mais ont beaucoup de difficulté à établir une relation d'intimité de façon stable avec une personne.

Une personne qui ne s'aime pas n'attend pas d'amitié ou d'amour des autres. Doutant de sa propre valeur, elle se sent menacée par les autres et devient compétitive. Quand les autres sont trop appréciés, elle se sent menacée. La vision négative qu'elle a d'elle-même constitue une énorme barrière qui l'empêche d'approcher les autres de façon positive et de les aimer.

Ses relations avec les autres sont chancelantes à cause de sa personnalité faible et de sa méfiance en sa propre valeur. Cette personne ne se sentira à l'aise que lorsqu'elle dominera et mènera les autres qui, à ses yeux, ont besoin de son aide et de ses conseils à cause de leurs faiblesses.

Il est très rare qu'on aime bien. Car aimer, c'est sortir de soi pour faire confiance à Dieu et faire confiance aux autres. Nous avons tous la tentation de nous refermer sur notre solitude. Les bouderies et les colères de nos enfants révèlent bien, déjà, cet orgueil subtil, cette attirance satanique familière aux hommes: « Je ne m'abaisserai jamais. Je ne demanderai jamais rien à personne. Plutôt mourir que de demander pardon » se dit parfois l'enfant qui reste dans le coin alors que toute sa famille l'appelle affectueusement à revenir dans le cercle des échanges et de la joie.

C'est cela notre tentation: arrêter d'aimer, nous renfermer dans notre arrogance et notre solitude; en vouloir aux personnes qui n'ont plus besoin de nous et nous croire indispensables. Au lieu d'être heureux et de servir sans attendre de récompense, nous boudons dans notre coin en nous disant de « pauvres victimes incomprises ». Comme l'enfant boudeur, nous voulons nous installer dans le coin, dans la solitude, là où l'on nous fichera la paix, là où nous finirons bien par ne plus souffrir, là où nous nous réfugierons dans l'orgueil, à penser que personne ne parviendra plus à nous toucher puisque nous serons seuls, dans notre tour d'ivoire.

C'est ça l'enfer

Mais avons-nous pensé que c'est cela l'enfer? Cela commence dès ici-bas: s'arranger tout seul, refuser d'aller vers l'autre gratuitement, avoir perdu le goût de faire confiance, croire que la personne ne pourra jamais changer puisqu'elle nous a déçue une fois. C'est ça l'enfer: se retrouver seul pensant que c'est mieux de jouir de cette solitude satanique plutôt que d'avouer que nous avons besoin des autres. C'est cela l'enfer: la solitude éternelle. C'est ça l'enfer: avoir perdu le goût d'aimer pour ne plus souffrir et préférer souffrir seul plutôt que de jouir de la joie des autres en s'abaissant. C'est ça l'enfer: préférer demeurer fort et indépendant, et en souffrir, plutôt que d'accepter dans la joie d'être faible, vulnérable et dépendant.

Se couper des autres

Nous avons peur d'aimer. Nous aimons mal. Nous voulons posséder l'autre pour nous seuls. Nous voulons apprendre à l'autre, faire quelque chose pour l'autre, mais pour nous, à notre manière. Et si l'autre se rebiffe, nous le jugeons et nous nous refermons. « Après tout ce que j'ai fait pour lui. C'est un sans-cœur. » Nous vivons tous la tentation perpétuelle de nous autosuffire, de nous retrancher d'une certaine communion avec les autres et avec Dieu.

C'est cela l'orgueil. Il n'y a rien de pire que l'orgueil de la personne « désintéressée » qui se fend en quatre pour les autres, car les autres se sentent coupables s'ils se détachent d'elle. « Après tout ce que j'ai fait pour toi », dit-elle à l'autre pour lui faire sentir combien elle est coupable de penser s'éloigner de tout le bien qu'elle voudrait encore leur faire.

Pour aimer vraiment, il ne faut pas être possessif et dominateur. Pour aimer vraiment comme Dieu aime, il nous faut devenir humbles. Être humble, c'est dire aux autres comme Jésus à la Samaritaine: « Donne-moi à boire, j'ai besoin de toi. » Mais c'est terrible pour l'orgueil d'accepter d'avoir besoin des autres, de s'ouvrir aux autres. L'instinct de puissance se trouve renforcé parfois par le sentiment d'avoir donné aux autres. Dire « donne-moi à boire, j'ai besoin de toi », c'est accepter de demander l'aide de l'autre et c'est humiliant pour notre orgueil. Mais c'est cela aimer vraiment.

Le but de la vie humaine, c'est d'apprendre à aimer: à s'aimer, à aimer les autres et à se laisser aimer. Mais il est très rare qu'on sache aimer. Que d'égoïsme sous des apparences d'amour! Combien de personnes s'intéressent aux autres parce qu'elles ne peuvent se faire face à elles-mêmes? C'est ce qu'on appelle parfois la générosité ou désintéressement névrotique.

Regardons-nous bien! Nous disons nous occuper des autres, mais peut-être avons-nous besoin de cela pour vivre? Notre apostolat nous valorise. Nous disons toujours que les autres ont besoin de nous. Mais nous, nous avons peut-être besoin que les autres aient besoin de nous. Nous voulons rattacher les autres par l'amour que nous disons vouloir absolument leur donner. Aimons-nous vraiment?

« Un tel, nous voulons le sauver, disons-nous; nous voulons nous sacrifier pour lui; nous accceptons de mourir, de disparaître pour son salut. Ne sommes-nous donc pas désintéressés? » Oui, peut-être que nous voulons l'aider, mais à la condition que ce soit nous qui le formions, nous qui le sauvions. Mais s'il allait vers un autre, s'il se détachait de nous, s'il était aidé par un autre; nous réjouirions-nous autant? L'attention excessive que nous semblons porter aux autres ne représente en fin de compte qu'une vaine tentative pour dissimuler et compenser notre échec à prendre soin de notre personne. Nous croyons aimer les autres, nous croyons servir les autres; mais nous trouvons notre sécurité dans le pouvoir que nous exerçons sur les autres sous une apparence de bonté que nous voudrions leur donner. « Donnez-nous des gens à aider, donnez-nous du bien à faire; car sans cela nous serons dans l'angoisse. » Nous essayons d'aimer les autres pour oublier que nous ne nous aimons pas.

Communauté de dominants, dominés

Il est difficile d'aimer et de s'aimer. La personne qui veut toujours prouver quelque chose et se prouver qu'elle est aimable est souvent une personne qui n'a pas eu de véritable enfance, et qui s'est réfugié dans le *faire* et le *paraître* pour gagner l'estime et l'amour des autres. Toute sa vie, à moins d'une guérison, elle cherchera le pouvoir et la domination.

Lorsqu'un homme ou une femme ne veut pas reconnaître ses blessures, il ou elle se cache parfois sous une apparence de vertu. Si une personne, soit-disant spirituelle, nie ses sentiments réels et la part d'enfance qui l'habite, elle cherchera parfois à se dévouer à une cause sociale ou religieuse en dominant les autres.

Adrian Van Kaam explique ce qui pourrait se passer dans une communauté religieuse avec des personnes immatures, sous une apparence de force et de perfection: « Si j'ai peur de faire face à mon anxiété et si les tendances névrotiques influent sur ma recherche de la perfection religieuse, peut-être briguerai-je le pouvoir à l'intérieur de l'organisation religieuse dont je suis membre, que je sois laïc, prêtre ou religieux. Alors je désirerai ardemment le pouvoir pour lui-même, et non pas pour servir la communauté religieuse ou la foi. En outre, ma vie spirituelle personnelle sera marquée par mon goût du pouvoir. Je me dévouerai à la cause religieuse si cela peut accroître mon empire sur moi-même et sur les autres.

« Je ferai très attention à la nature de mon activité religieuse. J'éviterai sous des prétextes variés tout travail qui ne me ménagerait pas à un accroissement de mon pouvoir et de mon prestige. Tout doit être net, bien organisé, sûr. Autrement j'ai peur; car la maîtrise de mon univers est pour moi le seul moyen d'en faire un endroit où je peux vivre en toute sécurité.

« Le croyant névrosé est aussi fréquemment tenté de s'entourer de personnes qui pensent comme lui. Son amour « religieux » des gens n'existe donc que s'ils peuvent satisfaire son besoin d'être admiré, son désir d'être aimé et s'ils ont de la vénération pour lui, le considérant comme un sage, un saint, un homme équilibré et compréhensif.

« Ce symptôme névrotique sous une apparence de perfection et d'équilibre peut le conduire à s'entourer de familles, d'amis qui sont eux-mêmes poussés par leur propre besoin d'admirer, d'aimer un prêtre, un religieux ou un apôtre laïc. Si cette tendance névrotique s'étend à un groupe entier, leur communauté se dégradera, se refermant sur elle-même et devenant une société d'admiration mutuelle. »

La guérison serait possible si cette personne reconnaissait son manque d'amour sous ses tendances, mais trop souvent ces personnes ne veulent pas regarder les blessures affectives qu'elles vivent; cela les rend toujours insécures[4]. Et si quelqu'un leur propose une thérapie quelconque, alors c'est la rage, et l'agressivité qui éclate et rend quasi impossible le cheminement vers la libération.

---

4. Nous n'avons pas le temps ici de développer tout l'aspect des critères d'admission des candidats à la vie religieuse et sacerdotale. Nous pouvons cependant donner quelques repères.

Jack Dominian dans son volume « Maturité affective et vie chrétienne » affirme ceci: « Il y a d'abord la question de l'admission de nouveaux candidats à la vie religieuse. Il me semble essentiel que la vie religieuse ne devienne pas un refuge pour ceux qui ont peur de leur corps. Je veux dire par là qu'on ne devrait pas accepter d'hommes ou de femmes étrangers à leur corps en tant que moyen de vivre des sentiments de sexualité, de colère ou d'affection. Il me semble que les critères d'admission qui insistent sur les aspects intellectuels et sociaux des candidats, et ignorent leur maturité physique et affective, rendent un bien mauvais service à l'idéal de la vie religieuse... Deux craintes nous ont surtout hantés dans le passé en ce qui concerne la vie de communauté. D'abord, que toute relations trop exclusives conduisent à l'homosexualité. Certes il me semble qu'un homosexuel qui éprouve le besoin d'exprimer son état en termes physiques ouvertement sexuels n'a pas sa place dans la vie religieuse. Mais cette crainte a compromis les chances de la grande majorité de ceux qui sont parfaitement capables d'affection intime sans danger pour leur intégrité sexuelle. Les religieux ont choisi librement de ne pas exercer l'expression physique de leur sexualité dans le mariage ou dans des rapports homosexuels. C'est le vœu de chasteté, mais la chasteté ne signifie pas la négation ou le refoulement de la sexualité. »

Marcel Eck, dans « *Sacerdoce et Sexualité* », publié chez Fayard, après avoir affirmé que la chasteté est possible et redit que l'expression physique de la sexualité hétéro ou homosexuelle n'a pas de place dans la vie sacerdotale ou religieuse, soutient par contre que l'aveu à soi-même d'une tendance affective ou sexuelle perturbée ou déviée est plus saine qu'une tendance tellement refoulée qu'elle se cache sous la « *rationalisation* »:

« Sans que ce soit une règle absolue, la prise de conscience d'une tendance déviée est souvent préférable à l'ignorance. On lutte plus facilement contre une tendance reconnue que contre une tendance refoulée. »

Et l'auteur de déclarer que les plus dangereux sont souvent ceux qui se cachent sous une fausse force et portent souvent des jugements intransigeants sur les autres:

« Il existe certains types souvent difficiles à dépister, qu'il vaudrait mieux éliminer des Ordres. Ils ne sont pas nombreux, mais ils sont dangereux. Ils n'appa-

Nous aimer pour aimer

Pour aimer, nous devons nous accepter et pour nous accepter, nous devons comprendre que nous sommes humains comme les autres.

L'acceptation de soi est le premier signe d'une charité paisible et bien ordonnée envers soi-même. En partant de là, il est possible d'accepter et éventuellement d'aimer notre prochain. Nous ne pourrons pas pardonner charitablement les fautes d'autrui si nous sommes incapables de tolérer les nôtres. Au contraire, dès que nous avons accepté les nôtres, nous pouvons plus facilement tolérer toutes les imperfections du prochain. Nous ne porterons pas de fruits spirituels tant que nous ne nous accepterons pas nous-mêmes.

Il faut toujours commencer par s'aimer soi-même. Accepter l'autre comme on s'accepte soi-même, voilà le critère élémentaire de tout amour d'autrui. Un chrétien qui s'aime vraiment est alors capable d'aller librement à son prochain sans l'utiliser pour résoudre ses propres problèmes affectifs non résolus.

Qui n'a jamais rencontré le zèle intolérant et farouche de quelqu'un qui se trouve intérieurement en état de répression contre lui-même? Il n'aime pas la vie, ne s'aime pas et croit aider les autres en les persuadant que la terre n'est qu'une vallée de larmes.

Qui n'a éprouvé une profonde pitié devant ces générosités vinaigrées? Que peut valoir d'ailleurs l'activisme amer de quelqu'un qui vit en se repoussant lui-même?

---

raissent pas au premier regard comme homosexuels, parfois même ils s'ignorent en tant qu'homosexuels, et ne se sont jamais préoccupés de leur orientation affective. Ils se présentent comme des hommes forts qui n'aiment que ce qui leur apparaît puissant, ils méprisent ce qui est féminin comme étant le symbole de la faiblesse; ce sont souvent des organisateurs nés, mais dominateurs. Ils n'apparaissent au départ ni comme paranoïaques, ni comme homosexuels et cependant ils sont les deux. Cela peut se manifester tardivement dans leur vie par une volonté de puissance, une associabilité, une insubordination que d'aucuns baptiseraient aujourd'hui esprit de contestation. Freud n'eut pas tort quand il établit — d'une façon peut-être trop systématique, des liens entre la paranoïa et l'homosexualité. »

L'Évangile, de par son étymologie, se propage comme un bonheur que l'apôtre est impatient de partager. Jésus l'a montré à plusieurs reprises en décrivant, entre autres, la joie d'une ménagère qui ayant retrouvé sa monnaie perdue, s'empresse d'aller annoncer la bonne nouvelle à ses voisines.

Jésus purifie nos motivations inconscientes et, par conséquent, aussi paradoxal que cela puisse paraître, il édifie la gratuité de l'amour d'autrui sur cette charité bien ordonnée qui commence par soi-même et qui libère des obsessions égoïstes. Car s'il y a un égoïsme du bonheur qui refuse de partager, il y a également un égoïsme de malheur qui se sert de tout pour s'oublier. Les souffrances ne font pas nécessairement de nous des saints. Les vrais saints recherchent d'abord l'amour et non le sacrifice.

Égoïsme et amour de soi

C'est étrange comme nous confondons souvent l'amour de soi avec égoïsme. Ils sont pourtant très différents. Érich Fromm fait remarquer que les gens égoïstes ne s'intéressent qu'à eux-mêmes, même lorsqu'ils semblent se donner aux autres. Mais il poursuit en démontrant que l'égoïsme et l'amour de soi, loin d'être de même niveau ou catégorie, sont en fait opposés. « Ces gens vraiment égoïstes éprouvent des difficultés, dit-il, non seulement à aimer, mais surtout à s'aimer eux-mêmes. »

Le Père Henri Roy nous demandait parfois en tant que jeunes, de chercher nos qualités avant nos défauts. Nous étions tout surpris et nous avions de la difficulté à nous trouver une qualité. Pourtant, nous aurions été capables de nous trouver mille défauts!

C'est vrai que nous devons reconnaître nos limites, avoir le sens du péché; mais il est indispensable de nous accepter nous-mêmes, de nous aimer nous-mêmes. Nous devons d'abord nous aimer nous-mêmes pour pouvoir aimer les autres.

Il est rare de rencontrer quelqu'un qui s'aime vraiment, au sens plénier du terme, ou qui a appris à s'accepter lui-même, tel qu'il est, sans amertume ni dépit, mais avec une réelle bonté.

Refuser de nous aimer nous-mêmes nous conduit à développer une peur excessive de voir nos faiblesses découvertes, et à nous installer dans une attitude défensive face aux autres et face à la vie en général. Plus le niveau de la confiance personnelle est bas, plus nous nous raidissons, portons le masque de notre personnage et devenons soupçonneux puis agressifs.

Si nous nous aimions

Fromm souligne l'exquise remarque de maître Eckhart au sujet de l'amour de soi: « Si tu aimes, tu aimes tout le monde comme toi-même. Aussi longtemps que tu aimes une autre personne moins que toi-même, tu ne réussiras pas à vraiment t'aimer toi-même. »

Quand nous commençons vraiment à nous aimer et à valoriser notre état malgré notre laideur et nos faiblesses, alors nous sommes libres d'aimer d'autres personnes et de les traiter avec un souci aimant. Une fois que nous possédons une véritable considération pour nous-mêmes, nous ne demeurons plus sur la défensive pour détourner constamment l'attention sur les défauts des autres. Nous ne protégeons plus notre « ego » derrière un bouclier de critiques et d'agressivité. Nous ne nous inquiétons pas de ce que les autres peuvent dire de nous puisque nous savons qui nous sommes et que nous faisons de notre mieux.

Ce que les autres disent n'ajoutera ni n'enlèvera rien à ce que nous sommes. Les critiques des autres ne nous blesserons pas parce que nous saurons qu'elles ont dépassé la pensée de leurs auteurs. Nous commençons à nous oublier et à nous tourner vers les autres en pensant à eux et à ce qui les touche. Ainsi, nous pouvons leur démontrer un amour véritable. Nous n'avons plus besoin de nous prouver quelque chose. Nous connaissons nos faiblesses et nous pouvons en rire. Nous pouvons alors, sans être paternalistes et dominateurs, aller vers les autres sans peur.

Quelques pas pour nous aimer

Le premier pas vers l'amour de nous-mêmes consiste à prendre une décision consciente de nous regarder à travers le regard de l'Amant Divin. Dieu est Amour, et Dieu nous aime individuellement.

Le second pas consiste à reconnaître que la plupart des gens ne s'aiment pas. Nous ne sommes donc pas uniques en ce domaine et nous ne devons pas désespérer ni nous décourager.

Le troisième pas vers l'amour de nous-mêmes consiste à apprendre et à accepter le pardon des autres. Il nous est beaucoup plus facile de pardonner que d'accepter d'être pardonnés. Il nous est plus facile de donner le pardon que de l'accepter. Pierre a renié Jésus. De son côté, Paul a persécuté le Christ ressuscité et a tenté de détruire son Église. Tous les deux, contrairement à Judas, ont accepté le pardon de Dieu et sont devenus les fondateurs de l'Église.

Nous devons accepter de devenir faibles, nous devons prendre une chance et établir un contact intime avec d'autres êtres humains comme Jésus l'a fait. Nous n'avons pas à avoir peur de la trahison. Nous ne devons jamais dire: « Je ne peux plus lui faire confiance. »

Nous avons besoin d'accepter l'amour, même s'il nous rend vulnérables. Nous ne pouvons nous aimer nous-mêmes si nous refusons de nous laisser aimer. Nous parvenons rarement à nous aimer vraiment sinon dans ce genre d'interactions avec les autres, en acceptant et en étant acceptés, en pardonnant et en acceptant d'être pardonnés, en aimant et en acceptant d'être aimés. Personne n'est une île. Si nous refusons le pardon des autres, si nous tentons d'être toujours seuls, nous deviendrons durs et inhumains.

Jésus a accepté sans difficulté l'aide de Simon de Cyrène (Mc 15, 21) parce que dans sa Passion, il ne jouait pas un personnage. Quand nous refusons l'aide d'autrui, savons-nous quel est le sens profond de notre refus? Peut-être y a-t-il en nous un personnage qui entend se débrouiller tout seul en se passant des autres? Une des formes les plus difficiles à réaliser du véritable amour de soi, consiste à accepter et à requérir l'aide du prochain au besoin.

Être aimé pour s'aimer

Le plus grand besoin de l'être humain, c'est d'être accepté, reconnu et aimé tel qu'il est. Pour aimer les autres, il faut s'aimer et pour réellement s'aimer, il faut avoir été aimé inconditionnellement. Dieu est la réponse à ce besoin d'amour, mais Dieu veut aussi passer par les êtres humains pour donner son amour.

Nous vivons dans un monde froid, un monde orphelin, un monde blessé. Il y a tant de foyers désunis; tant de familles monoparentales; tant de jeunes qui sont déchirés, blessés, qui ne s'aiment pas et qui cherchent leur identité. Jamais la jeune génération n'a été aussi blessée, aussi vulnérable qu'aujourd'hui! Jamais elle n'a autant manqué de cette sécurité affective minimale, nécessaire au simple courage d'être: un foyer uni dans la tendresse d'un père et d'une mère qui s'aiment.

Nous avons vu que l'homme, la femme et le jeune qui ne se sentent pas aimés et acceptés ont de la difficulté à s'aimer, et tendent souvent à se prouver quelque chose ou à dominer les autres pour s'identifier.

Les humains et encore plus les jeunes d'aujourd'hui essaient par toutes les manières de justifier leur vie. S'ils n'ont pas eu de père et de mère pour les accepter tels qu'ils sont et pour les confirmer dans leur être, leurs justifications découleront surtout du fait qu'ils désirent ardemment devenir un jour acceptables et aimables. Ils pourraient extérieurement avoir réussi dans les affaires, la politique; être même un membre éminent du clergé; et vivre malgré tout un vide profond et une solitude intérieure.

Une personne commence réellement à vivre, à se sentir quelqu'un, lorsqu'elle croit en un amour donné librement; en un amour qui ne s'achète pas, qui ne lui sera pas retiré. Il va sans dire que dans notre société technique et industrielle basée sur le rendement et l'efficacité, les gens sont conditionnés à chercher leurs justifications dans leurs œuvres. Il faut toujours y prouver sa valeur. En réalité, lorsque quelqu'un a l'impression qu'il doit prouver qu'il est digne d'amour, il conclut qu'il n'est pas aimable.

Beaucoup de personnes qui ne s'aiment pas seraient guéries si elles prenaient le temps, dans l'oraison et l'adoration du Saint-Sacrement, de se laisser aimer par Dieu. La prière possède des vertus thérapeutiques que nous oublions trop souvent.

Mais Dieu veut aussi passer par les hommes et les femmes qui nous entourent pour nous guérir. Beaucoup de jeunes sont traumatisés par un parent inconnu, lointain ou absent. Ce sera souvent à travers la bonté, la tendresse et l'acceptation d'une personne chrétienne qui aura le courage de donner l'amour, non seulement à ses propres enfants, mais à tous les orphelins, que beaucoup de jeunes redécouvriront la confiance et la foi. Alors, lentement, ils pourront commencer à s'aimer eux-mêmes et à aimer les autres.

« Chacun de nous naît avec de nombreuses possibilités, dit Pierre Van Breemen, mais à moins que la chaleur et l'acceptation d'un autre ne les éveillent, elles resteront en sommeil. C'est seulement quand je suis aimé, dans ce sens profond d'acceptation totale, que je puis devenir moi-même. »

La pré-évangélisation

Beaucoup de jeunes redécouvriront Dieu et l'Église avec l'aide de pères, de mères, de familles, de couples et d'autres jeunes chrétiens qui les accepteront, et les aimeront d'un amour inconditionnel. C'est ce que j'appelle parfois la pré-évangélisation du cœur.

Quand une personne découvre qu'elle est aimée inconditionnellement et gratuitement par une autre personne, ce qu'elle vit intérieurement dépasse l'entendement. Cette personne aimée pourrait se dire: «C'est bouleversant qu'il m'aime. Cet amour change ma vie. Je me sens l'enfant de quelqu'un. Son acceptation et son amour m'ont touché au cœur. Cela donne un nouveau sens à ma vie. Il me semble que je commence à revivre. Je me sens libérée d'un poids. Cette libération que je reçois comme un don, ne vient pas de moi, mais vient de cet amour gratuit.» Elle pourrait ajouter: «Mais je n'ai rien fait pour mériter cet amour. Pourquoi suis-je aimée ainsi, moi qui fut si souvent méchante? Je n'ai rien fait pour mériter cela!»

Puis, si elle pouvait continuer à analyser son expérience, elle dirait sans doute: «J'ai l'impression que je peux m'aimer moi-même, car je sens maintenant que je suis quelqu'un pour quelqu'un. Je peux m'aimer et je vois maintenant comment mes relations avec les autres peuvent devenir complètement différentes. Je n'ai plus besoin de jouer un personnage. Je n'ai plus besoin de lutter pour prouver quelque chose aux autres. Je sens que je suis une personne unique. Cet amour gratuit m'a transformée. Je commence à croire que c'est possible de répondre à l'amour. Je peux aimer les autres tout en réalisant dans ce monde quelque chose que personne ne pourra faire à ma place.»

Cette réalité est vraie au niveau psychologique mais également au niveau de l'expérience chrétienne. Pour s'aimer, il faut avoir été aimé. La libération et la réalisation dans nos vies de la Bonne Nouvelle de l'Évangile sont liées à la conviction réelle que nous sommes aimés et acceptés, indépendamment de tout ce que nous faisons. C'est ce que saint Jean exprime lorsqu'il dit que Dieu nous a aimés le premier, alors que nous étions encore pécheurs.

La Bonne Nouvelle

Finalement, une personne peut commencer à s'aimer, à se reconnaître aimable et justifiée d'exister, simplement parce que quelqu'un l'a aimée gratuitement, de fait, et non pour quelques motifs particuliers.

Lorsqu'une personne découvre avec émerveillement la Bonne Nouvelle de l'Évangile, alors elle cesse de se durcir et de se blinder contre ses frères et sœurs. Elle est prête à faire une véritable expérience du pardon, car elle a découvert un Père qui l'aime avec tendresse.

Voilà la vraie libération que l'Évangile peut apporter. La psychanalyse peut libérer de certains blocages, mais elle ne peut changer un cœur de pierre en un cœur de chair. Dieu peut changer un cœur humain. La vraie charité d'un cœur envahi par la tendresse de Dieu peut transformer un cœur humain.

« Je crois, dit Jean Vanier, que Dieu seul comme Père peut guérir de l'intérieur un cœur humain, en lui faisant découvrir qu'il est aimé et donc aimable, qu'il a une valeur et que Lui, Dieu, l'aime tel qu'il est avec ses défenses et ses pauvretés. Il n'a pas besoin d'être parfait, il est son enfant bien-aimé. C'est alors qu'il commence à pouvoir s'aimer lui-même. »

Mon Père

Ce qui peut changer un cœur humain, c'est la Bonne Nouvelle de se savoir aimé du Père. « Dieu a tellement aimé le monde », dit saint Jean. Dieu a tellement aimé chaque être humain: pauvre, petit, jeune, vieux, fille, garçon, femme, homme. Il a tellement aimé! « Il est venu, dit encore saint Jean, non pas condamner le monde, mais le sauver. »

Aujourd'hui, je me sens bafoué, rejeté, mal aimé, détestable. Et bien, la Bonne Nouvelle m'apprend que, qui que je sois, je suis quelqu'un pour Quelqu'un; je suis l'enfant du Père.

Dans la Bible, nous pouvons découvrir l'Amour que Dieu a pour nous. Pour aimer les autres, il faut nous aimer nous-mêmes. Mais pour nous aimer, il faut avoir expérimenté l'amour gratuit de Dieu et avoir été aimé par un autre, tel que nous sommes.

CHAPITRE IX

Le long voyage vers la sérénité

« Seuls les êtres qui aiment
restent jeunes.
Les égoïstes se dessèchent.
Seuls ceux qui aiment
sont capables
de redevenir jeunes. »

Michel Bous

Enfance, adolescence, vie adulte, période du milieu de la vie, vieillesse, mort : autant d'étapes voulues par Dieu et que nous devons accepter et vivre. Sauter l'une ou l'autre de ces étapes, vouloir revenir en arrière, mépriser l'étape que je vis, ne m'apportent en définitive que frustration, angoisse et amertume ; et, en plus, cela ennuie les personnes qui m'entourent. Je fais partie de la nature et suis soumis à ses lois : lois de naissance, de croissance, de maturité, de mort. La nature a ses saisons, ses lois, ses rythmes, et je dois les respecter.

Au fur et à mesure que nous prenons de l'âge, la vie nous amène de plus en plus à « être » plutôt qu'à « avoir » ou à « faire ». Il ne s'agit plus d'être efficace, il s'agit d'être fécond ; ce qui est très différent. Si nous avons bien vécu notre vie, si nous sommes passés à travers notre crise du milieu de la vie, alors au troisième ou au quatrième âge, ne restera de la vie que la foi, l'espérance et l'amour ; parce que nous pourrons alors moins « faire » et que nous devrons bientôt laisser sur la terre nos « avoirs ». Paul Tournier écrit : « Ce qui compte à la fin chez la personne âgée, ce n'est pas ce qu'ils font encore, ni ce qu'ils ont accumulé et qu'il n'emporteront pas, mais ce qu'ils sont. »

Accepter la vie

Avant d'atteindre le troisième âge, il faudrait être en accord avec soi-même, accepter la vie, accepter sa vie. Il s'agit d'arrêter de jouer un personnage et passer d'un cœur de pierre à un cœur de chair. Jeunes, nous rêvons de pouvoir un jour faire tout ce que nous n'avons pas encore pu faire. Mais plus nous avançons en âge, plus nous mesurons la distance entre ce rêve et la réalité. Et voilà que nous arrivons au second tournant de notre vie. Il s'agit, dit Jung, de « la découverte des valeurs de la personnalité », de « saisir intelligemment le sens de sa vie individuelle ». Il s'agit d'une intériorisation, d'une entrée dans la vie intérieure : « Ce que la jeunesse trouve et devait trouver au dehors, écrit Jung, l'homme dans son après-midi, doit le trouver au-dedans de lui-même. » Pour que notre vieillesse soit sereine et heureuse, il faut que le second tournant de la vie soit pris autour de la cinquantaine et même au début de la quarantaine. Jung ne situe pas le second tournant de notre vie à l'heure de la retraite, mais bien au midi de la vie.

« Le midi de la vie, écrit-il, est l'instant du déploiement extrême où l'homme est tout entier à son œuvre, avec tout son pouvoir et tout son vouloir! Mais c'est aussi l'instant où naît le crépuscule; la deuxième montée de la vie commence... À midi commence la descente, déterminant un renversement de toutes les valeurs et de tous les idéaux du matin. »

Accepter la descente, c'est le grand drame de ce tournant du « milieu de la vie » et auquel tant de personnes se dérobent; car elles ne veulent renoncer ni à leur illusion de puissance ni à celle de leur fausse force. Il y a une acceptation à faire, il y a une réconciliation à réaliser à la fin de la crise du milieu de la vie.

Paul Tourmier, dans « Apprendre à vieillir » parle ainsi de l'acceptation: « J'étais si frappé de voir combien d'hommes refusaient la réalité de leur vie, et combien ce refus pouvait compromettre leur santé physique et morale. Et que la révolte aggravait encore leurs souffrances; et que l'acceptation pouvait les rendre plus légères, contribuer parfois à la guérison des malades. Accepter sa vie, son âge, son corps, son sexe; accepter tels qu'ils sont, ses parents, son conjoint, ses enfants, ses amis; accepter les épreuves, la maladie, l'infirmité, les pertes, les deuils; s'accepter soi-même, son propre caractère, ses échecs et ses fautes. »

Pour réussir à acquérir la sérénité et la paix durant notre vieillesse, il faut la commencer plus tôt, d'une certaine façon, et non pas la retarder le plus possible en jouant au jeune. C'est au milieu de la vie qu'il importe de réfléchir, de s'arrêter, de ne pas craindre la vie intérieure, d'organiser son existence en vue d'un avenir encore lointain, au lieu de se jeter dans un tourbillon d'activités sociales pour oublier ses blessures et ses limites.

Les vieillards qui sont les plus proches des enfants ne sont pas ceux qui refusent de vieillir ou qui jouent au jeune, mais ceux qui ont retrouvé leur cœur d'enfant en acceptant leurs limites et leur finitude. Ils vivent alors la véritable spiritualité de l'enfance qui est exactement le contraire de l'infantilisme.

Cœurs purs ou cœurs durs

Quand Jésus dit: «Bienheureux les cœurs purs» (Mt 5, 4), ce n'est pas avant tout de la pureté matérielle dont il parle; mais de cette pureté d'un cœur qui est devenu malléable, d'un cœur qui est passé de la dureté à la douceur, d'un cœur qui est devenu humble et a reconnu ses faiblesses, sans vouloir les justifier ou les nier. Il y a des personnes qui n'arrivent sans doute jamais à sortir complètement de leurs défauts, mais qui ne jugent pas les autres, qui reconnaissent leurs péchés sans culpabilité morbide. Ces personnes ne pèchent jamais contre le Saint-Esprit; elles gardent un cœur pur. Vous avez au contraire des personnes qui ont l'air parfaites et pures extérieurement et qui ont sans doute moins péché que bien d'autres, mais qui n'acceptent pas d'être pécheurs, qui nient leur faiblesse dans une attitude de supériorité. Ces personnes n'ont pas le cœur pur mais le cœur dur, ils ne sont pas des enfants au sens évangélique[1].

Pour réapprendre à aimer et passer d'un cœur de pierre à un cœur de chair, l'homme doit se mettre à l'irremplaçable école de la vie. La vie nous apprend peu à peu à aimer et à se laisser aimer; la vie nous apprend à avoir besoin des

1. «Il y a des gens à qui épreuves et rencontres n'ont servi de rien: leurs oreilles n'ont rien entendu, leurs yeux n'ont rien vu, l'existence les a ridés sans les buriner. Ils n'ont pas mûri, ils ne sont pas devenus comme des enfants, ils sont demeurés infantiles.» Jacques Sarano, «Le défi de l'espérance», Le Centurion, 1973, p. 20.

autres. L'homme, au départ, peut s'imaginer que la suprême sagesse serait de s'arranger pour n'avoir à tenir compte de personne; si cet homme se laisse instruire par la vie, il en viendra un jour à se réjouir d'avoir à tenir compte de tous. Il s'apercevra qu'il est un pauvre, il arrêtera de se durcir et de jouer un personnage.

Un cœur de pierre ou un cœur de chair? C'est à nous de choisir. Au début de la cinquantaine, c'est le grand choix de nos vies. C'est ce passage que nous devons faire à la fin de la crise du milieu de la vie. Il est triste de rencontrer de ces personnes qui ne font jamais ce passage et qui demeurent rigides et durcis.

Au cours de ces dernières années, j'ai rencontré plusieurs personnes qui demeuraient prisonniers de leur personnage: individus faussement calmes, mais rigides, semblant rationnels, mais agressifs, ou bien nerveux intérieurement, vides, angoissés; mais le cachant derrière une apparence de contrôle sur eux-mêmes. Gens capables de parler de politique, de sport, de religion, de pastorale, mais rarement d'eux-mêmes! Gens incapables souvent de se révéler vraiment eux-mêmes mais trouvant une satisfaction lorsque l'on se révèle à eux! Devant ces personnes, j'ai toujours été un peu mal à l'aise; car il me semblait que la vie et la souffrance, au lieu de les attendrir, les avait durcis encore plus. La crise du milieu de la vie n'avait pas brisé leur carapace. Et je cherchais en vain, en eux, cet enfant qui voulait vivre et qui aurait fait d'eux ces sages au sourire si doux, qui attirent les cœurs par l'attraction de leur bonté. Je me disais qu'il ne fallait jamais désespérer et qu'une dernière épreuve du Divin chirurgien jetterait peut-être par terre leur dernier rempart, et que leur cœur de pierre s'*amollirait* soudainement.

Quelle est longue parfois la route vers la paix du cœur; et nous savons tous au fond que le pardon en est la clé!

« La perfection chrétienne, écrivait le Père Monier, ne consiste pas à n'avoir pas de défauts, à ne pas faire de sottises. Elle est dans le pardon. Et lorsqu'on pardonne, on a bien tout le reste en même temps.

« Quand vous verrez quelqu'un qui arrive à pardonner vraiment même s'il commet des péchés, soyez tranquilles. Dieu pardonne toujours à qui pardonne. »

Se réconcilier avec soi...

Il faut apprendre un jour à se réconcilier avec soi, à laisser vivre l'enfant au plus profond de notre cœur. Il est bon de constater que les adultes les plus sains, les plus équilibrés émotionnellement et qui présentent les caractères de la vraie maturité sont ceux qui sont les plus proches de leur enfance : ils ne sont point guindés ; ils ne jouent plus un personnage ; ils se refusent à juger, à classifier ; ils sont ouverts à l'expérience, s'expriment avec spontanéité. L'on sent devant eux que l'on peut être soi-même et que leur simplicité n'est pas une régression infantile mais un émerveillement devant la vie et les êtres. Ces gens acceptent la vie et s'acceptent tels qu'ils sont, ils n'ont pas peur de l'avenir, ils ne vivent pas du passé et ils sont prêts à une nouvelle croissance, et ils acceptent maintenant de vieillir avec un certain humour. Ils sont proches des jeunes tout en demeurant eux-mêmes.

Ce qui nous est demandé au mitan de notre vie, c'est l'humble acceptation de ce que la vie nous révèle de nous-mêmes, non pas dans un esprit de résignation, mais dans un esprit d'abandon, sans nous décourager d'être si peu avancés. Nous avons un modèle dans le publicain de l'Évangile qui, demeuré au fond de la synagogue, avoue simplement sa misère et sort justifié par la miséricorde.

« La sainteté commence là, écrit Claude Dazens dans « Éloge de notre faiblesse », où finissent ces obsédés de perfection ; par la simple constatation que nous sommes des hommes, des êtres faibles qui ont besoin de secours et d'affection. La vraie joie ne consiste pas à viser des perfections surhumaines, mais, au contraire, à accepter les limites de son humanité. Celui qui rêve de perfection, sans l'atteindre, est forcément dur pour lui-même, et par conséquent pour les autres. »

C'est la vie, avec ses joies et ses peines, qui nous révèle à nous-mêmes et nous fait connaître nos limites et nos possibilités. Peu à peu, dans ce long cheminement du cœur de pierre au cœur de chair, nous en venons à nous accepter tels que nous sommes avec nos faiblesses; nous cessons enfin de jouer un personnage, nous nous acheminons vers la maturité spirituelle par le biais de l'enfance retrouvée.

Il s'agit de se désarmer; et c'est le long combat du milieu de la vie. Le patriarche Athénagoras l'expliquait ainsi: « Il faut mener pendant des années la guerre la plus dure, qui est la guerre contre soi-même. Il faut arriver à se désarmer. J'ai mené cette guerre pendant des années; elle a été terrible. Mais maintenant, je suis désarmé. Je n'ai plus peur de rien, car l'amour chasse la peur. Je suis désarmé de la volonté d'avoir raison, de me justifier en disqualifiant les autres. Je ne suis plus sur mes gardes, jalousement crispé sur mes richesses. J'accueille et je partage. Je ne tiens pas particulièrement à mes idées, à mes projets. Si l'on m'en présente de meilleurs, ou plutôt non pas meilleurs mais bons, j'accepte sans regret. J'ai renoncé au comparatif. Ce qui est bon, réel, vrai est toujours pour moi le meilleur. C'est pourquoi je n'ai plus peur. Quand on n'a plus rien, on n'a plus peur. Si l'on se désarme, si l'on se dépossède, si l'on s'ouvre au Dieu-homme qui fait toutes choses nouvelles, alors, Lui efface le mauvais passé et nous rend un temps neuf où tout est possible. »

Le vrai visage de notre enfance

Du cœur de pierre au cœur de chair, c'est le long cheminement de la vie pour retrouver, derrière tous nos masques, le vrai visage de notre enfance. Car plus nous avançons dans l'existence, plus il nous faut considérer comme une grâce ou une chance de pouvoir garder une certaine candeur devant la vie, les êtres, les événements.

« On met longtemps à devenir jeunes », disait Picasso. Ce n'est certainement pas en refusant de vieillir que nous arriverons à la sagesse de la véritable enfance spirituelle.

Le philosophe Gustave Thibon affirmait un jour avec son humour particulier: « Le seul moyen de rester jeune en vieillissant, c'est de renoncer à le paraître. »

Je ne peux m'empêcher de citer encore ces lignes de Jean-Louis Barrault, dans son volume « Mémoire d'avenir »: « Que de gens dans la rue circulent se croyant vivants, alors qu'ils ne sont plus que leur personnage, c'est-à-dire une armure vide comme dans les vieux châteaux... Ceux qui, au contraire, ont gagné la bataille de l'enfance, il est facile de les déceler à un certain brillant de l'œil. Qu'ils aient vingt ans ou quatre-vingt-dix ans, dans leur regard brille la petite étoile. J'entrevois donc quatre étapes possibles dans la vie: l'enfance, qui est le produit de la matrice maternelle; l'infantilisme, pour ceux qui se sont dérobés au combat et se sont arrêtés en route; l'adulte, pour ceux qui sont morts au combat; ceux, enfin, qui ont pu passer au travers du combat et qui ont su atteindre le monde de l'éternelle enfance, éternellement vierges, curieux, étonnés, toujours émerveillés. »

Un jour ou l'autre, il faut accepter de nous remettre en cause, accepter de nous désarmer. Notre cœur endurci, égoïste, asséché par la peur doit lentement se laisser imbiber par l'eau douce de l'Esprit Saint. Un jour ou l'autre, il faut nous convertir vraiment, faire un choix de ce que nous voulons être éventuellement. Tout cela se fait doucement. Quand je dis: un jour ou l'autre; je ne pense pas obligatoirement à un retournement subit, quoique cela puisse se produire. C'est plutôt le fruit d'une longue maturation qui fait tomber nos masques.

Après l'immolation de nos « Isaac » et notre « combat de Jacob », voilà qu'arrive l'étape de la révision de notre vie. Certes, des événements peuvent provoquer cette prise de conscience: un deuil, une maladie, un lourd chagrin, une dépression, un questionnement, un ressourcement spirituel profond ou l'envahissement d'une joie qui nous bouleverse.

Le plus souvent, cette révision de vie naît d'un malaise après bien des combats. Celui qui accepte cette purification du cœur voit des pans de murs s'écrouler. C'est à la fois une nuit et une lumière, une douleur et une douceur, une détresse et une immense tendresse.

Il nous faut alors repartir sur une route nouvelle; quitter nos anciennes habitudes, nos anciennes façons de voir. Nous avons l'impression de nous retrouver nus, tellement nous sommes désemparés. C'est l'ultime combat, entre le cœur de pierre et le cœur de chair, qui se vit avant d'atteindre une certaine sagesse. C'est l'entrée dans la véritable maturité humaine et chrétienne.

Après cette purification, nous ne pouvons plus porter de jugements catégoriques et, moins encore, condamner les autres. L'Évangile a raison de dire que la vérité délivre et fait tomber les écailles de nos yeux. Ainsi nous atteindrons la maturité chrétienne qui est en même temps l'expérience de l'enfance spirituelle.

Le cœur s'adoucit

Quand nous sommes jeunes, nous croyons que mourir est chose facile. Lorsque nous vieillissons, nous avons honte de ne pas avoir su goûter et apprécier l'existence. Du cœur de pierre au cœur de chair, c'est le long combat obligatoire pour que l'adulte, tout en devenant sage et mature, redevienne enfant: l'enfant peut-être qu'il n'a jamais été; qu'il n'avait jamais su être. Voilà que nous sommes devenus enfants pour la première fois peut-être. Quel long travail de purification pour enlever tous nos masques, pour quitter nos personnages!

Après le long combat de l'âge mûr, le cœur s'adoucit. « Les saints ont le cœur liquide », disait le saint Curé d'Ars. Enfin, nous osons être nous-mêmes; nous nous moquons de nos défauts sans nous déprécier outre mesure. Nous savons enfin qui nous sommes et ce que nous voulons. Nous devenons souples et disponibles. Nous nous réconcilions avec nous-mêmes, avec les autres, avec la vie, avec notre passé. Nous nous sommes donnés le droit d'exister.

Lorsque nous sommes jeunes, la cinquantaine nous paraît bien loin et nous nous disons que c'est la fin de la vie. Mais que nous arrivions brutalement ou doucement à cet âge; nous nous rendons compte qu'au fond, à cinquante ans, on est bien jeune; et que ceux qui sont morts à soixante ans, sont morts bien trop jeunes. La vie nous apparaît encore à découvrir, bien que nous devions accepter bien des pertes. Le corps nous fait savoir que force et beauté déclinent. Nous avons davantage de mal à nous concentrer, et puis nous commençons à avoir des trous de mémoire... Mais, en même temps, nous retrouvons notre cœur d'enfant.

« Celui-là est vraiment un grand homme qui n'a jamais perdu son cœur d'enfant », disait Gilbert Cesbron. Comme c'est vrai, et comme il faut du temps parfois pour faire surgir cet enfant qui vit toujours au fond de notre cœur! Mais, en tant que chrétiens, vivre comme des enfants nous conduit à une expérience pascale. C'est en perdant notre vie que nous la retrouverons, et c'est en choisissant la dernière place que nous trouvons la première. C'est peut-être aussi en acceptant de redevenir des petits enfants que nous devenons véritablement adultes dans la foi.

La vraie sagesse est contraire à la sagesse humaine et passe d'un cœur de pierre à un cœur de chair. C'est entrer dans une nouvelle sagesse où tout est renversé. Ce qui est faible devient fort, ce qui est petit devient grand. Ce qui est fort aux yeux du monde devient faiblesse à nos yeux.

Le monde a besoin de personnes heureuses de vivre malgré tout. L'important dans la vie, c'est de donner un sens à la vie. L'important, c'est d'avoir découvert le vrai trésor qui seul peut combler notre cœur. Nous pouvons rencontrer des chrétiens remplis de connaissances, mais s'ils ne se donnent pas l'espérance et la joie, cela ne leur vaut pas grand-chose.

Dans la vie, tant que nous ne savons pas comment nous y prendre pour être heureux et pour rendre les autres heureux, pour aimer vraiment... qui sommes-nous? Nous pouvons savoir beaucoup de choses; mais si nous ne donnons pas une espérance, si nous ne reflétons pas la joie de vivre, si nous n'avons pas la vraie sagesse au fond de nous, nous ne savons rien.

À quinze ans, nous croyons tout savoir. À vingt-cinq ans, nous croyons savoir beaucoup. À quarante ans, nous ne savons plus grand-chose et à cinquante ans, nous savons que nous ne savons rien. Nous commençons à réapprendre comme un enfant, car nous acceptons enfin de recevoir. Finalement, que sert à l'homme de tout savoir s'il est malheureux? Que sert à l'homme de gagner l'univers s'il perd son âme, son cœur et sa vie?

Devant Nicodème, ce savant qui savait beaucoup de choses, mais qui ignorait la nouvelle naissance; Jésus s'étonne: « Tu es maître en Israël et tu ignores ces choses (Jn 3, 10). » Au contraire, si nous ne savons pas grand-chose, si nous avons la vraie sagesse, si nous savons nous y prendre pour être heureux et rendre les autres heureux; alors nous en savons assez.

Au point de vue physique, nous commençons par être un enfant et la jeunesse est le sommet. L'homme jeune est souple, agile et fort. Mais à mesure que nous avançons en âge, nous devenons plus raides, moins forts. Notre corps est moins résistant.

Embrasser sa vie...

Au point de vue spirituel, le contraire se produit. Nous naissons vieux, lents et raides avec un cœur de pierre! Mais tous les combats de notre vie humaine et spirituelle nous apprennent à devenir souples et nous acheminent vers un cœur de chair.

Un jour, nous devrions tous faire ce que dit un personnage d'un drame d'Arthur Miller: « Chacun doit finir par prendre sa vie dans ses bras et l'embrasser. » Car c'est seulement quand nous commencerons à aimer pour de bon ce que nous sommes, que nous serons capables de faire de ce que nous sommes une merveille. Nous aurons retrouvé notre cœur d'enfant et toute notre vision de la vie en sera transformée. Celui qui a retrouvé son cœur d'enfant ne voit plus dans son prochain un concurrent ou un ennemi, mais un ami et un allié avec qui il peut partager sa joie de vivre et d'aimer.

Celui qui a retrouvé son cœur d'enfant ne prend pas une attitude autoritaire et n'opprime pas, mais comme Jésus, il est petit et vulnérable. Voilà pourquoi les gens vont à lui sans peur. Ayant enlevé son masque, il donne l'espoir aux autres d'enlever le leur. Passer du cœur de pierre au cœur de chair, c'est l'affaire de toute une vie et le secret de la sainteté.

La belle histoire du cheval de peluche

Un jour, le petit lapin demandait au cheval de peluche, qui traînait dans le coffre à jouets depuis bien longtemps: « Qu'est-ce qu'être vrai? Et cela fait-il mal? »

« Quelquefois, répondit le cheval de peluche qui disait toujours la vérité, mais quand on est vrai, cela n'a pas d'importance d'avoir mal. »

« Est-ce que cela arrive tout d'un coup, comme lorsqu'on remonte notre ressort, ou petit à petit », demanda le lapin.

« Cela n'arrive jamais tout d'un coup, dit le cheval de peluche, on le devient peu à peu. Cela prend beaucoup de temps. C'est pourquoi cela arrive rarement à ceux qui se cassent facilement, ou qu'on doit ranger soigneusement. En général, quand on est devenu vrai; on a perdu presque tous ses poils; on a les yeux qui pendent; on a des faiblesses aux articulations et on est bien usé. Mais tout cela n'a aucune importance; parce qu'une fois qu'on est vrai, on ne peut plus être laid, sauf aux yeux de ceux qui ne comprennent pas encore. »

Bibliographie sélective

AVRIL, Philbert
Délivre-nous du mal
Cerf, 1981

BAARS, Conrad
Feeling and Healing your emotions
Logos International

BARTÉLÉMY, D.
Dieu et son Image
Foi vivante, 1963

BRO, Bernard
La foi n'est pas ce que vous pensez
Cerf, 1988

COMBAZ, Christian
Éloge de l'âge
Robert Laffont, 1987

DAUJAT, Jean
Psychologie contemporaine et pensée chrétienne
Téqui, 1976

DE WILLEBOIS, A.
La société sans Père
S.O.S. Éditions, 1985

DOMINIAN, Jack
Maturité affective et vie chrétienne
Cerf, 1978

FOUCHER, Daniel
L'amour humain a-t-il un sens?
Éditions de Montligeon, 1987

GLASSER, William
La thérapie par le réel
Épi, 1971

GRZYBOWSKI, Alain
Sous le signe de l'Alliance
Éditions Saint-Paul, 1986

HAMAÏDE, Jacques
Jésus de Nazareth que dis-tu de toi-même?
Médias Paul et Éditions Paulines, 1987

HERFRAY, Charlotte
La vieillesse
Desclée de Brouwer, 1988

HIDALGO, Nelly
Sauve ce qui était perdu
Éditions Saint-Paul, 1986

HORNEY, Karen
The Neurotic Personality of our time
W.W. Norton and Company, 1964

HORNEY, Karen
Neurosis and Human Growth
W.W. Norton and Company, 1970

HORNEY, Karen
L'auto-analyse
Stock et Plus, 1978

JEAN-PAUL II
La Réconciliation et la Pénitence
Les Compagnons de Jésus et de Marie, 1984

KELSEY, Morton T.
Caring
Paulist Press, 1981

LINN, Denis et Matthew
La guérison des souvenirs
Desclée de Brouwer, 1987

NOUWEN, Henri
Le chemin du désert
Cerf, 1985

PAYNE, Léanne
Crise de la Masculinité
Éditions Jeunesse en Mission, 1985

PECK, Scott
Le chemin le moins fréquenté
Robert Laffont, 1987

POWELL, John
Will the real me please stand up?
Argus Communication, 1985

SANFORD, John
Ministry Burn Out
Paulist Press, 1982

TERRUWE, Anne
Amour et équilibre
Apostolat des Éditions, 1969

TERRUWE, Anne
Chrétien sans complexes
Apostolat des Éditions, 1970

TOURNIER, Paul
Bible et Médecine
Delachaux et Niestlé, 1955

TOURNIER, Paul
Vraie ou fausse culpabilité
Delachaux et Niestlé, 1985

TOURNIER, Paul
Les forts et les faibles
Delachaux et Niestlé, 1985

VAN KAAM, Adrian
Religion et personnalité
Salvator, 1967

ZUNDEL, Maurice
Quel homme et quel Dieu?
Éditions Saint-Augustin, 1986

Table des matières

Cet ouvrage
composé en Century Textbook
corps 11.5 sur 14
a été achevé d'imprimer
le vingt-troisième jour d'octobre
mil neuf cent quatre-vingt-neuf
à l'Imprimerie Le Renouveau
Québec